Netzwerk

Deutsch als Fremdsprache

A2.1

Mit DVD und Audio-CDs

Kurs- und Arbeitsbuch A2
Teil 1

Stefanie Dengler
Paul Rusch
Helen Schmitz
Tanja Sieber

Ernst Klett Sprachen

Stuttgart

Von
Stefanie Dengler, Paul Rusch, Helen Schmitz, Tanja Sieber

Projektleitung: Angela Kilimann
Redaktion: Angela Kilimann, Sabine Wenkums
Gestaltungskonzept, Layout und Cover: Andrea Pfeifer, München
Illustrationen: Florence Dailleux
Bildrecherche: Sabine Reiter
Satz und Repro: kaltner verlagsmedien GmbH, Bobingen

DVD
Drehbuch und Regie: Theo Scherling
Redaktion: Angela Kilimann

Audio-CDs
Musikproduktion, Aufnahme und Postproduktion: Heinz Graf, Puchheim
Regie: Sabine Wenkums

Verlag und Autoren danken Christoph Ehlers, Beate Lex, Margret Rodi, Dr. Annegret Schmidjell und allen Kolleginnen und Kollegen, die **Netzwerk** begutachtet sowie mit Kritik und wertvollen Anregungen zur Entwicklung des Lehrwerks beigetragen haben. Wir danken außerdem dem Kaisergarten (München), der Münchner Verkehrsgesellschaft (MVG), der Gasteig München GmbH und der Deutschen Bahn AG für ihre freundliche Unterstützung bei den Fotoaufnahmen.

Netzwerk A2 – Materialien

Teilbände	
Kurs- und Arbeitsbuch A2.1 mit DVD und 2 Audio-CDs	606142
Kurs- und Arbeitsbuch A2.2 mit DVD und 2 Audio-CDs	606143
Gesamtausgaben	
Kursbuch A2 mit 2 Audio-CDs	606997
Kursbuch A2 mit DVD und 2 Audio-CDs	606998
Arbeitsbuch A2 mit 2 Audio-CDs	606999
Zusatzkomponenten	
Lehrerhandbuch A2	605010
Digitales Unterrichtspaket A2 (DVD-ROM)	605011
Interaktive Tafelbilder A2 (CD-ROM)	605012
Intensivtrainer A2	607000
Testheft A2	605013
Interaktive Tafelbilder zum Download unter www.klett-sprachen.de/tafelbilder	

In einigen Ländern ist es nicht erlaubt, in das Kursbuch hineinzuschreiben. Wir weisen darauf hin, dass die in den Arbeitsanweisungen formulierten Schreibaufforderungen immer auch im separaten Schulheft erledigt werden können.

Besuchen Sie uns auch im Internet: www.klett-sprachen.de/netzwerk

Audio-Dateien zum Download unter www.klett-sprachen.de/netzwerk/medienA2
Code:nW2q%F4

1. Auflage   1 ⁹ ⁸ | 2019 18 17

© Ernst Klett Sprachen GmbH, Stuttgart, 2017
Erstausgabe erschienen 2012 bei der Langenscheidt KG, München

Druck und Bindung: www.longo.media

ISBN 978-3-12-606142-1

Netzwerk – ein Lernpaket

Kursbuch

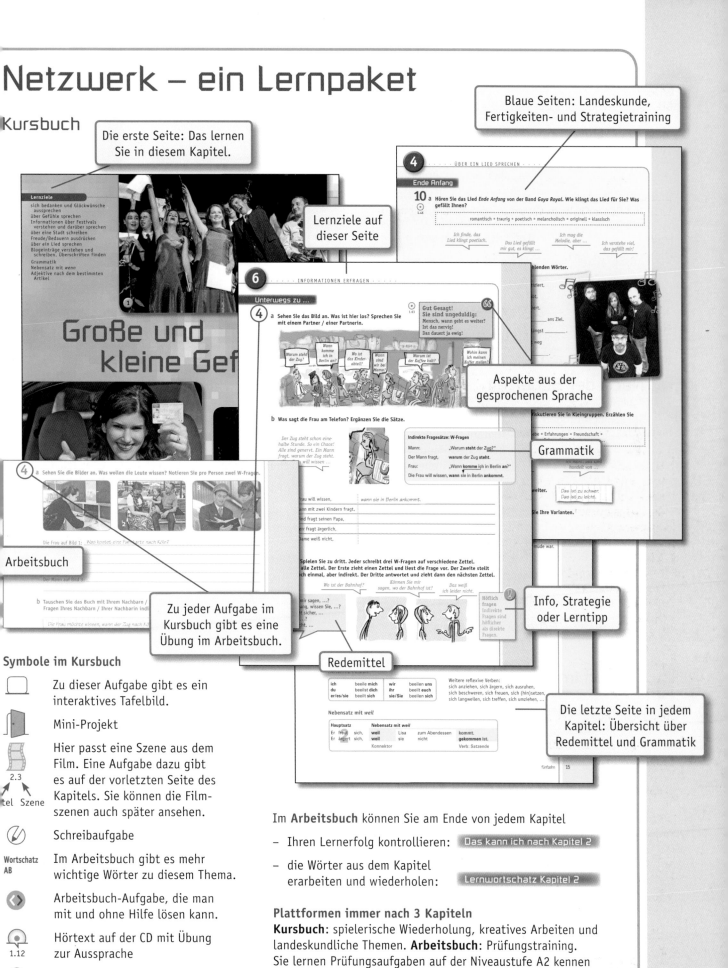

Die erste Seite: Das lernen Sie in diesem Kapitel.

Blaue Seiten: Landeskunde, Fertigkeiten- und Strategietraining

Lernziele auf dieser Seite

Aspekte aus der gesprochenen Sprache

Grammatik

Arbeitsbuch

Zu jeder Aufgabe im Kursbuch gibt es eine Übung im Arbeitsbuch.

Redemittel

Info, Strategie oder Lerntipp

Die letzte Seite in jedem Kapitel: Übersicht über Redemittel und Grammatik

Symbole im Kursbuch

	Zu dieser Aufgabe gibt es ein interaktives Tafelbild.
	Mini-Projekt
2.3 ↑↑ tel Szene	Hier passt eine Szene aus dem Film. Eine Aufgabe dazu gibt es auf der vorletzten Seite des Kapitels. Sie können die Filmszenen auch später ansehen.
✍	Schreibaufgabe
Wortschatz AB	Im Arbeitsbuch gibt es mehr wichtige Wörter zu diesem Thema.
⬦	Arbeitsbuch-Aufgabe, die man mit und ohne Hilfe lösen kann.
1.12	Hörtext auf der CD mit Übung zur Aussprache
1.8	Hörtext auf der CD

1   Tracknummer 8

Im **Arbeitsbuch** können Sie am Ende von jedem Kapitel

– Ihren Lernerfolg kontrollieren: **Das kann ich nach Kapitel 2**

– die Wörter aus dem Kapitel erarbeiten und wiederholen: **Lernwortschatz Kapitel 2**

Plattformen immer nach 3 Kapiteln
Kursbuch: spielerische Wiederholung, kreatives Arbeiten und landeskundliche Themen. **Arbeitsbuch:** Prüfungstraining. Sie lernen Prüfungsaufgaben auf der Niveaustufe A2 kennen und bereiten sich auf die Prüfung Start Deutsch 2 vor.

Lernziele

Informationen zu Personen verstehen
über Essen sprechen
sich und andere vorstellen
eine Bildgeschichte verstehen und
  wiedergeben
etwas begründen
über Gefühle sprechen
Vermutungen äußern
Fragen zu einem Text beantworten
ein Restaurant vorstellen
Wörter mit allen Sinnen lernen

Grammatik
Possessivartikel im Dativ: *mit
  meinem Freund*
doch (nach Ja-/Nein-Fragen)
Reflexive Verben: *sich freuen*
Nebensatz mit *weil*

Kann ich dir helfen? **A**

*Ja, bitte. Kannst du die Tomaten
waschen und die Kartoffeln schälen?*

Rund ums Essen

*Willst du nicht auch ein
Stück Pizza probieren?* **B**

Doch, gern. Das riecht echt gut.

*Kannst du mir
das Brot geben, bitte?* **C**

*Aber gern! Gibst du mir bitte
den Apfelsaft? Ich habe so Durst.*

Mensch, habe ich einen Hunger! **D**

*Es gibt ja gleich was. Ich stell' die Suppe gerade in
die Mikrowelle. Deck doch schon mal den Tisch.*

Currywurst? Das ist so fett! Gesund ist das ja nicht. **E**

Das ist mir egal. Einmal im Monat muss das einfach sein!

Trinkst du auch noch einen Kaffee? **F**

Nein, habe jetzt gleich einen Termin. Ich muss rauf ins Büro.

5

6

1

a **Sehen Sie die Bilder an. Welche Gespräche passen zu diesen Situationen? Ordnen Sie zu.**

b **Hören Sie die Gespräche. Was sagen die Personen? Kreuzen Sie an.**

1.2–4
Wortschatz
AB

Gespräch 1	Gespräch 2	Gespräch 3
☐ 1 Magst du keine Currywurst?	☐ 5 Und, wie schmeckt's?	☐ 9 Kochst du jeden Tag?
☐ 2 Ich habe keinen Hunger.	☐ 6 Nicht schlecht.	☐ 10 Nein, ich esse meistens in der Kantine.
☐ 3 Gesund ist das auch nicht.	☐ 7 Sehr gut. Superlecker.	☐ 11 Wie oft kochst du denn?
☐ 4 Ich esse ja nicht jeden Tag Currywurst, vielleicht einmal im Monat!	☐ 8 Möchtest du probieren?	☐ 12 Ich habe nur am Wochenende Zeit.

c **Wo essen Sie meistens? Was essen Sie gern? Erzählen Sie im Kurs.**

Ich esse meistens erst am Abend, nach der Arbeit. ...

Ich gehe mittags immer in die Mensa. Da esse ich ...

Im Kochkurs

2

a **Sehen Sie die Zeichnung an. Ordnen Sie die Wörter zu.**

Sauer macht lustig — Deutscher "rumor"

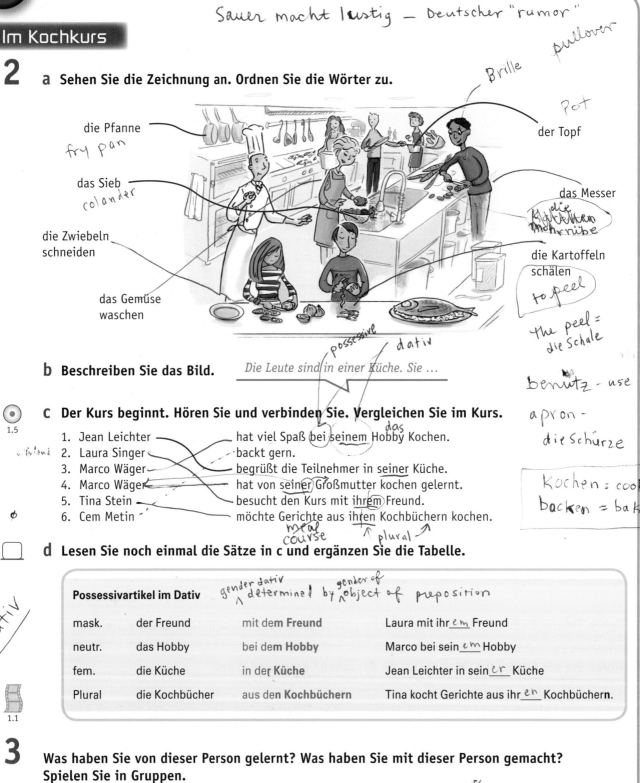

die Pfanne
fry pan

das Sieb
colander

die Zwiebeln
schneiden

das Gemüse
waschen

Brille
pullover

der Topf
Pot

das Messer

die Möhrrübe

die Kartoffeln
schälen
to peel

*the peel =
die Schale*

benutz - use

*apron -
die Schürze*

b **Beschreiben Sie das Bild.**   *Die Leute sind in einer Küche. Sie ...*   *possessive*   *dativ*

c **Der Kurs beginnt. Hören Sie und verbinden Sie. Vergleichen Sie im Kurs.**   *Kochen = cook*
backen = bake

1.5   *verbinel*

1. Jean Leichter   hat viel Spaß bei seinem Hobby Kochen.   *das*
2. Laura Singer   backt gern.
3. Marco Wäger   begrüßt die Teilnehmer in seiner Küche.
4. Marco Wäger   hat von seiner Großmutter kochen gelernt.
5. Tina Stein   besucht den Kurs mit ihrem Freund.
ø 6. Cem Metin   möchte Gerichte aus ihren Kochbüchern kochen.

*meal
course*   *plural*

d **Lesen Sie noch einmal die Sätze in c und ergänzen Sie die Tabelle.**

Dativ

gender dativ ∧ determined by gender of object of preposition

Possessivartikel im Dativ			
mask.	der Freund	mit dem **Freund**	Laura mit ihr**em** Freund
neutr.	das Hobby	bei dem **Hobby**	Marco bei sein**em** Hobby
fem.	die Küche	in der **Küche**	Jean Leichter in sein**er** Küche
Plural	die Kochbücher	aus den **Kochbüchern**	Tina kocht Gerichte aus ihr**en** Kochbüchern.

1.1

3

Was haben Sie von dieser Person gelernt? Was haben Sie mit dieser Person gemacht?
Spielen Sie in Gruppen.

masc

⚀	⚁	⚂	⚃	⚄	⚅
Vater	Mutter	Freund	Lehrerin	Opa	Wählen Sie!

grandfather

⚄ *Von meinem Opa
habe ich kochen gelernt.*

⚂ *Mit meinem Freund
habe ich oft Fußball gespielt.*

Seite

die Spüle sink   Kommode = drawers / bureau   der Teppich — rug
der Stuhl. chair . ÜBER ESSEN SPRECHEN, SICH UND ANDERE VORSTELLEN . . . . .

der Herd oven   Regal = open shelves   der Sessel = easy chair
        der Schrank = cup w/ doors
                                    doch = yes

4

a **Laura und Marco im Gespräch. Hören Sie. Was ist richtig? Kreuzen Sie an.**

⊙ 1.6

F 1. ☐ Der Kochkurs macht Laura keinen Spaß.   T 3. ☐ Laura hat Lust auf das Fleisch und
T 2. ☐ Laura isst heute keinen Fisch.   das Gemüse.

b **Was will Laura? Lesen Sie die Dialoge und die Sätze. Was ist richtig?**

◆ Macht dir der Kurs keinen Spaß?   ◆ Isst du nie Fisch? *never*   ◆ Wir gehen nachher noch aus.
◆ Doch, doch. Aber ich will   ◆ Doch! Aber dieser Fisch   Kommst du nicht mit?
   nicht Zwiebeln schneiden.   sieht komisch aus.   ◆ Nein, ich will schlafen.

Der Kurs   ☐ macht Laura Spaß.   ☒ macht Laura keinen Spaß.
Laura   ☒ isst nie Fisch.   ☐ isst heute keinen Fisch.
Laura   ☐ kommt mit.   ☒ kommt nicht mit.

c **Notieren Sie vier Ja-/Nein-Fragen: zwei mit Verneinung und zwei ohne Verneinung. Stellen Sie die Fragen drei Leuten im Kurs.**

Isst du heute nicht mit uns?
Schmeckt es dir?
Trinkst du keinen Kaffee? …

Isst du heute nicht mit uns?

Doch, ich …

doch	👍	👎
Schmeckt's dir?	Ja.	Nein.
Schmeckt's dir **nicht**?	**Doch.**	Nein.
Isst du **keinen** Salat?		

5

⊙ 1.7

a **Wer ist Jean Leichter? Was hat er gemacht? Hören Sie und ergänzen Sie je zwei Informationen.**

Ausbildung und Beruf	Hobbys	Sprachen
beim Onkel in Hannover		

b **Wer sind die anderen in Ihrem Kurs? Sammeln Sie Fragen zu Ausbildung und Beruf, Hobbys und Sprachen.**

Was sind Sie …?
Wo haben Sie …? Wann …?

c **Interviewen Sie Ihren Partner / Ihre Partnerin. Stellen Sie ihn/sie im Kurs vor.**

6

⊙ 1.8

a **Aussprache von *ch*: Hören Sie *ch* wie in *ich* oder *ch* wie in *acht*? Kreuzen Sie an.**

	Küche	kochen	riechen	möchten	nach	gleich	auch	besuchen
wie *ich*	✓		✓	✓		✓		
wie *acht*		✓		✓	✓		✓	✓

⊙ 1.9

b **Ordnen Sie die Wörter. Hören Sie dann zur Kontrolle.** *spoke*

Kuchen • Milch • sprechen • Gespräch • Sprache •
brauchen • Brötchen • vielleicht • Koch • euch • Bücher

> **Aussprache von *ch***
> Nach **i**, **e**, **ei**, **eu**, **ä**, **ü** und **ö**
> → *ch* wie in *ich*.
> Nach **a**, **o**, **u** und **au** → *ch* wie in *acht*.

← !

wie in *ich*   ~~Kuchen~~ milch sprechen Gespräch vielleicht euch Bücher Brötchen
wie in *acht*   Kuchen Sprache brauchen Koch

freulich = happy

Die Verabredung

grunes T-shi — *er sieht auf die Uhr* — *er hat den Tisch gedeckt* — *allein* — *wartet auf seine Freundin*

7

Wortschatz
AB

a Sehen Sie die Fotos an. Was ist hier los? Was macht Rick?

1   2   3

b Welche Skype-Nachricht passt wo? Ordnen Sie zu.

change clothes — *Someone / anyone*

> A Jetzt muss ich mich noch schnell umziehen. • B freust du dich schon? • C reg dich nicht auf! •
> D Ich setze mich gleich aufs Sofa. • E Oh, oh, da ärgert sich aber jemand ... • F Ich habe mich so beeilt!
> *hurry*

Na, _B_ ... ☺	19:40
Ja, klar. Bin auch schon fertig. _F_ ...	19:43
Wann kommt Lisa denn?	19:45
Um acht. _A_	19:50
Na, dann will ich nicht weiter stören ;-) *disturb*	19:52
Was machst du eigentlich heute Abend? *keine Plan*	20:05
Ich? Nix, ich bin zu Hause. _D_ Mal sehen, was im Fernsehen kommt.	20:06
Viel Spaß!	20:06
Sitzt du schon auf dem Sofa? Sie ist noch nicht da ... ☹	20:25
_E_ Kopf hoch, _C_	20:35

aufregend – grow impatient

sich aufregen / sich ärgern (Be angry) / sich umziehen

müssen → Reflexiv verb pronomen

c Verben mit Reflexivpronomen. Lesen Sie und markieren Sie in den Sätzen das Subjekt und das Reflexivpronomen. Ergänzen Sie die Tabelle.

anmachen = to turn on

Kommt was Gutes im Fernsehen?	20:47
Nee. Ich langweile mich. Ärgerst du dich noch?	20:50
Oh ja! Ich mache jetzt auch den Fernseher an.	20:51
Wollen wir uns treffen? Ich hab Zeit.	20:51
Super Idee. Komm doch zu mir – ich habe extra für dich was Schönes gekocht: Rindfleisch mit Bohnen ;-) *beef*	20:52
Bin schon unterwegs! ☺	20:53

Reflexive Verben

ich langweile _____	wir treffen _____
du ärgerst _____	ihr beeilt **euch**
er/es/sie beeilt **sich**	sie/Sie beeilen **sich**

wir langweilen uns — ihr ... t euch
er langweilt sich — Sie ... en sich

8

Schreiben Sie eine Geschichte zu den Bildern in 7a.
Formulieren Sie zu jedem Bild ein bis zwei Sätze.

> *Rick kocht und freut sich. ...*

INFIN: sich langweilen
ich langweile mich/euch/dich
I am bored. I bore you

waschen = can be reflexive or normal verb

9

a Nebensätze mit *weil*. Sehen Sie noch einmal die Bildgeschichte in 7a an. Warum freut sich Rick, warum ist er traurig …? Was passt zusammen?

(handschriftlich: answer starts w/ "weil")

Er freut sich, _A_

Er ist traurig, _B_   A   weil Lisa zum Abendessen kommt.

Er ärgert sich, _B_   B   weil Lisa nicht gekommen ist.

Er zieht sich um, _A_

b Markieren Sie die Verben und ergänzen Sie die Nebensätze mit *weil* in der Tabelle.

Nebensatz mit *weil*

Hauptsatz 1		Hauptsatz 2		
Er freut sich.		Lisa kommt	zum Abendessen.	
Er ärgert sich.		Sie ist	nicht gekommen.	

Hauptsatz		Nebensatz mit *weil*		
Er freut sich,		_____ Lisa	zum Abendessen	_____.
Er ärgert sich,		_____ sie	nicht	*gekommen …* .
		weil		Verb: Satzende

> **Nebensatz mit *weil***
> Der Nebensatz beginnt mit *weil*, dann folgt meistens das Subjekt. Das Verb steht am Ende.

c Und Sie? Warum ärgern oder freuen Sie sich? Erzählen Sie.

Ich ärgere mich, weil der Bus …

10

a Was vermuten Sie: Warum ist Lisa nicht gekommen? Begründen Sie Ihre Vermutung.

> Ich glaube, Lisa hatte …   Ich denke, Lisa war …   Ich vermute, Lisa konnte …
> Vielleicht hat Lisa …   Lisa wollte vielleicht nicht kommen, weil …

Vielleicht ist Lisa nicht gekommen, weil sie krank war.

b Wie war es wirklich? Hören Sie und kreuzen Sie an.

1.10
1.2

Lisa ist nicht gekommen, weil …

☐ 1 sie keine Zeit hatte.   ☒ 3 die Verabredung erst am nächsten Tag ist.

☐ 2 sie einen Unfall hatte.   ☐ 4 sie in einem Restaurant gewartet hat.

11

a Der nächste Abend. Arbeiten Sie zu zweit. Wie geht die Geschichte weiter? Wählen Sie ein Bild und schreiben Sie einen Dialog.

(handschriftlich: Lisa, Rick, schöne Frau, perfekter Mann)

A

B

b Spielen Sie Ihren Dialog vor.

Dunkelrestaurant

12 a **Sehen Sie die Homepage an. Was kann das sein?**

Vielleicht ist das eine Homepage für ...

Dinner In The Dark
Essen im Dunkeln in Österreich

search...

Seiten
Dark Dinner
Dinner im Dunkeln
Dinner in the Dark
Dunkeldinner
Dunkelrestaurant
Essen im Dunkeln
Links

Dinner-Dark.at

Dinner in the Dark bestellen!
Dinner in the Dark Wien buchen
Dinner in the Dark Leoben buchen
Dinner in the Dark Linz buchen
Dinner in the Dark Salzburg buchen

b **Lesen Sie die Fragen und den Text. Markieren Sie die Antworten im Text.**

1. Was ist das Besondere an diesen Restaurants?
2. Wo bestellen die Gäste das Essen?
3. Wie kommen die Gäste in den Gastraum?
4. Was ist beim Essen im Dunkeln schwierig?
5. Wie lange bleiben die Gäste im Dunkeln?
6. Darf man rauchen?

1.11

Der Gedanke
Ein Restaurant ohne Licht – es ist ganz dunkel. Sie können Ihre
eigene Hand nicht sehen. Eine völlig neue Erfahrung. Jetzt zählt
nur noch das Hören, Riechen, Fühlen und Schmecken! Jedes
Geräusch, jeder Geruch ist ein Erlebnis!

Der Weg
Sie bestellen Ihr Essen im Vorraum bei Licht. Sie können zwischen
sieben verschiedenen Menüs wählen. Aber im Restaurant wissen
Sie nicht genau, was Sie essen. Sie „schmecken" Ihr Essen und
erkennen es. Ein Kellner führt Sie an der Hand in den völlig dunklen
Gastraum. Oft sind die Kellner sehbehindert oder blind.

Das Essen
Alles hat seinen Platz. Löffel, Messer, Gabel, Gläser, Serviette ...
Wenn Sie sich an die Dunkelheit gewöhnt haben, schenken Sie sich
Ihr Getränk selbst ins Glas. Gar nicht so einfach! Hören Sie, wann
das Glas voll ist?

> **Gut gesagt:**
> **Sie möchten zur Toilette**
>
>
>
> **Sie sagen zu Ihrem Partner /
> Ihrer Partnerin:**
> „Entschuldigen Sie /
> Entschuldige mich bitte einen
> Moment."
>
> **Sie fragen den Kellner /
> die Kellnerin:**
> „Entschuldigung, wo ist bitte
> die Toilette?"

Ist der Löffel schon voll oder nicht? Treffe ich meinen Mund? Und was esse ich da überhaupt? Ist mein
Teller schon leer oder liegt da noch etwas? Vielleicht darf ich einmal meine Finger benutzen ...? Und was
mache ich, wenn ich auf die Toilette gehen muss? Wie finde ich den Weg? – Keine Sorge, Ihr Kellner ist
immer in der Nähe und für Sie da. Rauchen ist natürlich verboten.

Das Ende
Nach zwei bis drei Stunden und vielen neuen Eindrücken „dürfen" Sie wieder ans Licht. Hier bezahlen Sie
und können mit Ihrem Partner / Ihrer Partnerin und anderen Gästen über die Erlebnisse sprechen.

c **Arbeiten Sie zu zweit. Beantworten Sie abwechselnd die Fragen in 12b.**

d **Möchten Sie gern ein Dunkelrestaurant besuchen?**

 e **Recherchieren Sie im Internet: Gibt es auch bei Ihnen „Dunkelrestaurants" oder andere
besondere Restaurants? Stellen Sie Ihre Ergebnisse kurz im Kurs vor.**

Lernen mit allen Sinnen

13 a Machen Sie das Lern-Erfahrungs-Spiel. Bereiten Sie gemeinsam die Stationen A bis E vor.
Jeder muss etwas mitbringen und darf es dem anderen nicht zeigen.

b Spielen Sie in kleinen Gruppen. Gehen Sie von Station zu Station.

B

In einem Stoffbeutel liegen
zehn verschiedene Gegenstände.
A nimmt einen Gegenstand im
Beutel in die Hand und fühlt.
Was ist das? Richtig geraten?
Dann darf A den Gegenstand
herausnehmen. B macht weiter.

A

Jeder sucht sich einen Gegenstand im Kursraum.
A beginnt: „Ich sehe etwas. Das ist rot." Die anderen
raten: „Deine Tasche?" – „Die Jacke?" A: „Nein.
Ich sehe etwas. Das ist rot und klein." Person B
hat richtig geraten? B macht weiter: „Ich sehe ..."

E

Person A macht die Augen zu. B tut
etwas. A hört gut zu: Was macht B?

C

Jeder bringt etwas zum Riechen
mit (Blume, Parfum, Apfel ...).
Augen zu! Wie riecht das?
Was ist das? A beginnt.

Lernen Sie mit allen Sinnen:
Lernen Sie Wörter durch: Bilder
ansehen, Fühlen mit den Händen,
Riechen, Schmecken und Hören.

D

Jeder bringt etwas zum Essen oder Trinken mit
(ein Stück Obst, ein Bonbon, Zitronensaft, ...).
A hat die Augen zu und macht den Mund auf.
Wie schmeckt das? Was ist das?

c Notieren Sie. Welche Wörter haben Sie neu gelernt, welche Wörter haben Sie wiederholt?

d Eine Woche später: An welche Wörter erinnern Sie sich noch? Welches Wort haben Sie
gesehen, gefühlt, geschmeckt, gerochen, gehört? Notieren Sie.

Der Film

14 Was machen die Personen? Sehen Sie den Trailer. Ordnen Sie zu.

Trailer

> A macht ein Praktikum in München ● B ist die Chefin von Bea ●
> C ist die Tochter von Claudia und Martin Berg ● D wohnt bei Familie Berg ● E arbeitet in einem Hotel ●
> F ist viel unterwegs ● G studiert Sport und Informatik ● H geht zur Schule ● I mag Bea

Bea ___   Martin Berg ___   Ella ___   Claudia Berg ___   Felix ___   Hanna Wagner ___

15 a Was gibt es heute? Sehen Sie Szene 1 ohne Ton. Was glauben Sie: Wer sagt das? Notieren Sie B (für Bea), F (für Felix) oder E (für Ella).

1.1

____ Was gibt es eigentlich?

____ Wir haben keinen Reis.

____ Kein Problem!
Ich geh einkaufen
und du schneidest
das Gemüse.

____ Möchtest du probieren?

____ Kannst du noch
Sojasauce holen?

____ Wann essen wir?

____ Hühnchen mit
Gemüse und Reis.

____ Hühnchen-Filet in
Würfel schneiden ...

____ Möchtest du schon
mal den Tisch decken?

____ Für wie viele Personen denn?

b Sehen Sie Szene 1 mit Ton. Kontrollieren Sie Ihre Vermutungen.

1.1

16 a Ich habe schon so Hunger! Sehen Sie Szene 2. Ergänzen Sie.

1.2

◆ Hast du schon mal Indisch
_____ (1)?

◆ Ich weiß gar nicht.

◆ Das _____ (2) dir
sicher.

◇ Dann hol ich schon mal das
_____ (3).

◆ Gut, und ich _____ (4)
mir schon mal was. Martin?

◇ Ja, _____ (5).

b Setzen Sie sich in Gruppen um einen Tisch. Spielen Sie Gespräche beim Essen.

Kurz und klar

[handwritten: presents, introduce]

sich und andere vorstellen

Mein Name ist … / Ich heiße … / Das ist …	Er/Sie heißt …
Ich komme aus …	Er/Sie kommt aus …
Ich bin 23 (Jahre alt).	Er/Sie ist …
Ich studiere Psychologie.	Er/Sie arbeitet bei einer Autofirma.
Ich … gern. / Ich mag …	Er/Sie … gern. / Er/Sie mag …

etwas begründen *[handwritten: establish, justify]*

Lisa ist nicht gekommen, weil sie krank war / ein Problem hatte.
Lisa ist vielleicht nicht gekommen, weil sie den Termin vergessen hat.

[handwritten: Termin = fixed day, deadline]

über Gefühle sprechen *[handwritten: feeling, emotion]*

Ich ärgere mich oft, weil der Bus zu spät kommt.
Ich freue mich jeden Abend, weil mein Freund so gut kocht.
Ich bin traurig, weil meine Familie weit weg ist.

[handwritten: weil = because, since]

Vermutungen äußern *[handwritten: presume]*

Ich glaube, Lisa hatte keine Lust.	Vielleicht hat Lisa die Adresse nicht gefunden.
Ich denke, Lisa war krank.	Lisa wollte vielleicht nicht kommen, weil sie müde war.
Ich vermute, Lisa konnte nicht pünktlich kommen.	

Grammatik

Possessivartikel im Dativ

mask.	der Freund	mit dem/einem/keinem Freund	ich mit meinem Freund
neutr.	das Hobby	bei dem/einem/keinem Hobby	du bei deinem Hobby
fem.	die Küche	in der/einer/keiner Küche	Jean Leichter in seiner Küche
Plural	die Kochbücher	aus den/■■/keinen Kochbüchern	Tina kocht aus ihren Kochbüchern.

doch (nach Ja-Nein-Fragen)

Schmeckt's dir?	Ja.	Nein.
Schmeckt's dir **nicht**?	**Doch.**	Nein.
Isst du **keinen** Salat?		

Reflexive Verben

[handwritten: hurry]

ich	beeile **mich**	wir	beeilen **uns**
du	beeilst **dich**	ihr	beeilt **euch**
er/es/sie	beeilt **sich**	sie/Sie	beeilen **sich**

Weitere reflexive Verben:
sich anziehen, sich ärgern, sich ausruhen,
sich beschweren, sich freuen, sich (hin)setzen,
sich langweilen, sich treffen, sich umziehen, …

Nebensatz mit *weil*

[handwritten: neben = beside (preposition)]

Hauptsatz			Nebensatz mit *weil*			
Er	freut	sich,	**weil**	Lisa	zum Abendessen	**kommt.**
Er	ärgert	sich,	**weil**	sie	nicht	**gekommen ist.**
			Konnektor			Verb: Satzende

Maja Schmidt   1

mag: _kreativ sein_

nach der Schule: _Praktikum bei Zeitschrift_

jetzt: _macht Schmuck_

später: _____

Luis Mürrle   2

mag: _mit Menschen arbeiten_

nach der Schule: _____

jetzt: _Ausbildung zum Altenpfleger_

später: _____

1

Wortschatz
AB

a Sehen Sie das Bild an. Was feiern die Leute?
Worüber sprechen sie? Vermuten Sie.

b Hören Sie die Dialoge. Waren Ihre Vermutungen richtig?   *Vielleicht sprechen sie über die Arbeit.*

1.12–16

c Hören Sie noch einmal und ergänzen Sie die Informationen auf den Steckbriefen.

1.12–16

Schulzeit

Lukas Kittner 4

mag: _Reisen_

nach der Schule: _Verkäufer in Sportgeschäft_

jetzt: _____

später: _____

Simone Wellmann 3

mag: _____

nach der Schule: _Au-pair in England_

jetzt: _studiert Informatik_

später: _____

Anna Müller 5

mag: _Menschen helfen_

nach der Schule: _____

jetzt: _____

später: _im Krankenhaus arbeiten,_
vielleicht in Berlin

2 Machen Sie ein Interview mit Ihrem Partner / Ihrer Partnerin und schreiben Sie einen Steckbrief für ihn/sie. Berichten Sie dann im Kurs über ihn/sie. Sie können die Steckbriefe im Kursraum aufhängen.

> Was hast du nach der Schule gemacht? • Was hast du dann gemacht? •
> Hat dir das Spaß gemacht? • Was machst du jetzt? • Macht dir das Spaß? •
> Was möchtest du später machen? / Was sind deine Pläne für die Zukunft?

(Rechts)Anwalt = lawyer

Schule – eine schöne Zeit?

3

a Erinnerungen an die Schule. Lesen Sie die Einträge auf der Schulplattform.
Immer zwei Einträge passen zusammen. Welche?

fit

| Suche | Plattform | Schule | Finde Freunde |

(B) Bernd Christiansen
Schulzeit: 1986–1995

Ich wollte immer arbeiten, eine Wohnung haben, erwachsen sein. Komisch, oder? Jetzt sehe ich das natürlich ganz anders. In der Schule hatte ich viel mehr Zeit. Und 6 Wochen Sommerferien! Da konnte man machen, was man wollte.

(A) Carsten Spatz
Schulzeit: 1969–1978

Lernen hat mir keinen Spaß gemacht, ich wollte nur Sport machen. Ich bin aber gern in die Schule gegangen, ich hatte mit meinen Freunden immer einen Riesenspaß! Hauptsache, wir konnten die Lehrer ärgern ;-) Kennt noch jemand den Mathe-Lehrer Miesbach? Der Arme …

(C) Sybille Michel
Schulzeit: 1996–2004

Wer kennt noch die Englisch-Lehrerin Frau Lindner? Ich glaube, wir sollten jeden Tag 30 Wörter lernen und mussten fast jeden Tag einen Vokabeltest schreiben. Man durfte keinen Fehler machen, sie war sofort sauer. Zum Glück hatte ich auch tolle Lehrer. Herr Junge in Kunst zum Beispiel, der war super. Das waren meine Lieblingsstunden.

(D) Kris Zoltau
Schulzeit: 2000-2009

Ich wollte immer lange schlafen, aber ich musste jeden Tag schon um sechs Uhr aufstehen. Schrecklich! Ich habe auf dem Land gewohnt und musste mit dem Bus um sieben Uhr zur Schule fahren. Freunde konnte ich am Nachmittag nicht oft treffen, ich musste meistens lernen.

(C) Kati Grubens
Schulzeit: 1993–2002

Ja, die Kunststunden waren immer super. Ich erinnere mich gern an die Schule. Ich hatte gute Lehrer und der Unterricht hat meistens Spaß gemacht. Und ich habe viele Freunde gefunden. Mit vielen Schulfreunden habe ich heute noch Kontakt.

(D) Anna Keindl
Schulzeit: 2002–2010

Ich musste erst um Viertel nach sieben aufstehen, immer noch früh … Und ja, vor dem Abitur musste ich wirklich nur noch lernen, lernen, lernen. Aber jetzt bin ich an der Uni und muss noch mehr lernen. ;-)

(A) Maxi Greiber
Schulzeit: 1979–1988

Oh ja, ich hatte auch Mathe bei ihm. Wir haben einmal die Tafel mit Seife eingerieben und dann konnte er nichts mehr an die Tafel schreiben. Bei einer anderen Lehrerin haben wir die Tür mit Zeitungen zugeklebt. Ich habe viele lustige Erinnerungen an die Schule. Die Feste waren auch immer super.

(B) Mehmet Özer
Schulzeit: 1999–2007

Ja, das kenne ich gut. Jetzt arbeite ich und habe soooo wenig Zeit. In der Schulzeit konnte ich am Nachmittag meine Freunde treffen, und alle paar Wochen waren Ferien und ich konnte ausschlafen! Aber heute …

b Markieren Sie in den Texten die Modalverben im Präteritum.

see present tense DG P. ³⁷

4

homework

PAST TENSE

a **Ihre Erinnerungen. Schreiben Sie fünf Fragen mit Modalverben im Präteritum auf einen Zettel.**

Was ...? Wann ...? Wie lange ...? Konntest du ...? Durftest du ...? Musstest du ...? Woltest du ...? ...	viele Hausaufgaben machen • eine Schul- uniform tragen • am Nachmittag in der Schule sein • am Abend / am Wochenende lernen • zu Fuß zur Schule gehen • Freunde treffen • in der Schule Mittag essen • Sport machen • am Computer lernen • ...

1. Musstest du viele Hausaufgaben machen? 2. Wann konntest ...

> **Modalverben im Präteritum**
> **wollen**
> ich woll**te**   wir woll**ten**
> du woll**test**   ihr woll**tet**
> er/es/sie woll**te**   sie/Sie woll**ten**
> auch: können – ich konn**te**, müssen –
> ich muss**te**, dürfen – ich durf**te**,
> sollen – ich soll**te**

b **Gehen Sie durch den Kursraum und stellen Sie jede Frage einer anderen Person. Notieren Sie die Antworten.**

⊙ 1.17

> **Gut gesagt:**
> **Sie sind überrascht**
> Ach, nee! • Echt? •
> Ehrlich? • Ach, komm!

c **Jemand aus dem Kurs ruft einen Namen. Haben Sie diese Person gefragt? Berichten Sie über die Person.**

Ayaka!

Ayaka musste nicht viel Hausaufgaben machen.

5

a **Und Ihre Schulzeit? Was war für Sie schön? Was war nicht so schön? Schreiben Sie einen Beitrag für die Pinnwand.**

↳ contribution

Ich konnte besonders gut Texte schreiben und die Theatergruppe war super. Aber ...

b **Mischen Sie alle Texte. Ziehen Sie dann einen Text. Lesen Sie und schreiben Sie einen kurzen Kommentar zu diesem Text. Hängen Sie dann alle Beiträge und Kommentare im Kursraum auf.**

2.3

Das kann ich gut verstehen.	Das war bei mir auch so / nicht so.	Wirklich?
Das ist interessant.	Wie komisch! Das ist ja lustig/komisch/schrecklich/...!	
Das kenne ich gut.	Nicht zu glauben! Das wundert mich.	Das überrascht mich.

6

a ***sp* und *st*. Hören Sie und sortieren Sie die Wörter.**

🎧 1.18

> Trainingsprogramm • Sport • Kunst • Transport • Gespräch • Spiel • lustig •
> Sprache • Fremdsprache • zuerst • Stunde • Fest • Spaß • Einweihungsparty

sp und *st* am Anfang eines Wortes oder Wortteils: Man spricht „*schp*" oder „*scht*".	*sp* und *st* im Wort oder am Wortende: Man spricht „*sp*" oder „*st*".
Sport, ...	

b **Lesen Sie die Wörter und sortieren Sie sie wie in 6a. Hören Sie zur Kontrolle.**

🎧 1.19

sprechen – Student – Samstag – Muttersprache – Stadt – Post – Donnerstag

die Wohngemeinschaft = WG (handwritten)

Wo sind meine Sachen?

7
1.20

a In der WG. Hören Sie das Gespräch und korrigieren Sie die Aussagen.

1. Eva wohnt mit zwei Studentinnen zusammen. *F = 4* (handwritten)
2. Eva und Birte sind schon lange Freundinnen. *F* (handwritten)
3. Eva kommt aus Südamerika zurück. *Barcelona F* (handwritten)
4. Birte studiert Spanisch. *F techni* (handwritten)
5. Sören ist kein Student mehr.
6. In der Küche ist alles wie immer. *F* (handwritten)
   (is it always the same) (handwritten)

Eva wohnt mit zwei Studenten und ...

Pl (die) cups (handwritten)

b In der Küche. Arbeiten Sie zu zweit. Jeder wählt ein Bild. Fragen Sie Ihren Partner / Ihre Partnerin und antworten Sie.

In Küche A stehen die Tassen im Schrank. rechts (handwritten)

1. Wo stehen die Tassen?
2. Wo ist der Zucker?
3. Wo liegt das Kochbuch?
4. Wo hängt die Uhr?

In Küche B stehen die Tassen ...

links (handwritten)

Küche A

Zucker (handwritten)

Küche B

c
1.21
Hören Sie das Gespräch von Eva und Niklas. Wie sieht die Küche jetzt aus: wie Küche A oder B?

8

a Wohin hat Niklas die Sachen gestellt/gelegt/gehängt? Beschreiben Sie.

hängt an der Tür (handwritten)

....
Kalender • Öl • Mehl • Salz • Teller • Bücher • Telefon
m *pl* (handwritten)
....

Niklas hat das Öl auf den Tisch gestellt.

b Spielen Sie zu viert an einem Tisch. Verschiedene Sachen liegen auf dem Tisch. Person A macht die Augen zu und dreht sich um. Die anderen verändern etwas. Person A macht die Augen auf und nennt die Veränderungen.

Ihr habt das Buch unter die Tasche gelegt.

Positionsverben und Wechselpräpositionen:
in, an, auf, neben, zwischen, über, unter, vor, hinter.

Wohin? ➲ Präposition + Akkusativ

Wohin hast du ... gestellt/gelegt/gehängt?
der Schrank	→ **In den** Schrank.
das Regal *shelf* (handwritten)	→ **Auf das** Regal.
die Tür	→ **Neben die** Tür.
Plural: die Zeitungen	→ **Auf die** Zeitungen.

Wo? ⊙ Präposition + Dativ

Wo steht/liegt/hängt ...?
dem (handwritten)
der Schrank	→ **Im** Schrank.
das Regal	→ **Auf dem** Regal.
die Tür	→ **Neben der** Tür.
Plural: die Zeitungen	→ **Auf den** Zeitungen.

auf - horiz (handwritten)
an - vertical ... (hang on the wall) (handwritten)

9

a Feste Plätze. Wohin stellen/legen/hängen Sie diese Sachen meistens? Notieren Sie.

 _____   _____

_____ _____

b Berichten Sie im Kurs. Person A steht auf und sagt laut einen Satz wie im Beispiel. Wer hat den gleichen Ort? Stehen Sie auf, sagen Sie auch einen Satz und gehen Sie zu Person A. Person B hat einen anderen Ort. Sie steht auf und nennt den Ort. Wer hat den gleichen Ort? Stehen Sie auch auf, sagen Sie einen Satz und gehen Sie zu Person B.

Ich hänge den Schlüssel neben die Tür.

Ich stelle meine Schuhe neben die Tür.

Ich ...

Neu in der Stadt

10

a Tipps für den Start in Graz. Lesen Sie die Forumstexte. Welche Frage passt zu welcher Antwort?

> **neuingraz** Hallo, ich bin neu in Graz. Seit einer Woche studiere ich hier. Jetzt möchte ich Graz kennenlernen und freue mich über Tipps! (1) Wohin bei schönem Wetter? (2) Und gibt es vielleicht irgendwas Typisches und Traditionelles? (3) Wohin geht man am Abend? (4) Ich brauche auch noch Tipps für ein Museum – meine Eltern kommen bald zu Besuch. Was könnt ihr mir empfehlen?

3 **pief33** Servus! Am Abend kannst du ins „Bermudadreieck" gehen, das ist ein Beisl beim Färberplatz, ↳ da ist viel los. Ich treffe meine Freunde meistens im Univiertel, die Lokale dort sind günstig und nett.

1 **bbgraz** Hallo Neugrazer! Du musst unbedingt in den Stadtpark gehen. Im Park kann man joggen oder ↳ auch in der Sonne liegen. Macht Spaß und du musst kein Geld ausgeben. Der Stadtpark ist neben der Oper – von dort gehst du einige Minuten zu Fuß.

4 **lu@G** Herzlich willkommen! Magst du moderne Architektur und Kunst? Dann musst du ins ↳ Kunsthaus Graz gehen. Ich war dort schon oft in Ausstellungen und war nie enttäuscht, ~~enjoyed~~ außerdem sieht es von außen toll aus.

2 **Donau7** Warum nicht mal auf einen Ball gehen? Einmal im Leben muss man einen Walzer auf einem ↳ Ball tanzen. Und danach wieder Jeans tragen und ganz normal an der Uni lernen ...

b Welche Präpositionen sind Wechselpräpositionen? Markieren Sie in den Antworten die Wechselpräpositionen mit Ort und die Verben. Sammeln Sie Verb, Präposition und Kasus in einer Tabelle.

2.4

Verb	Präposition	Kasus
gehen	in	Akk.
...		

11

a Ihr Kursort. Bilden Sie vier Gruppen. Jede Gruppe notiert eine Frage aus dem Forum in 10a auf einem Blatt und gibt es weiter. Die zweite Gruppe antwortet und gibt das Blatt weiter an Gruppe 3 usw.

> *Wohin geht man am Abend?*
> **Auf den Marktplatz.**
> In die Disco „Enterprise".

b Hängen Sie alle Beiträge im Kursraum auf.

aussehen   appearance

Schultypen in Deutschland

12 a Das Schulsystem in Thüringen. Sehen Sie die Grafik an. Welche Schultypen gibt es? Wie lange dauern sie? Welchen Abschluss macht man dort?

> In jedem Bundesland ist das **Schulsystem** ein bisschen anders.

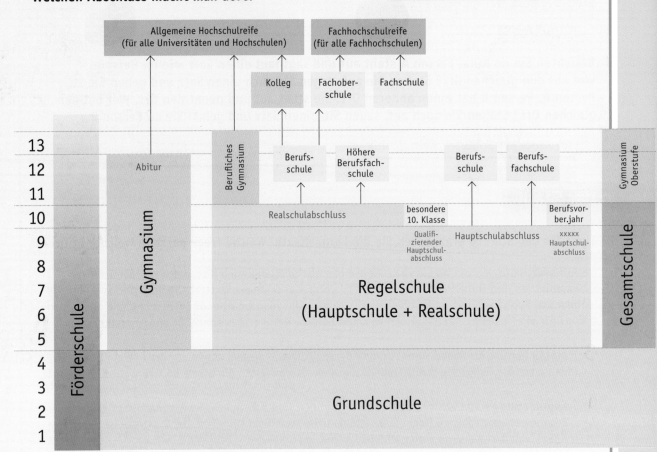

b Arbeiten Sie zu viert. Jeder wählt einen Text und ergänzt die Informationen in seinem Text und in der Tabelle.

Sebastian Lamm

Ich habe vor sechs Monaten mein Abitur gemacht. Ich möchte später Anglistik studieren und vielleicht Englischlehrer werden, aber zuerst mache ich ein Praktikum in einem Internat in England. Ich möchte jetzt endlich das Berufsleben kennenlernen.

Ich war 8 Jahre im _____, das war oft stressig. Ich habe drei Sprachen gelernt (Englisch, Französisch und Spanisch), das hat mir gut gefallen. Aber ich hatte auch viele andere Fächer. In Physik und Chemie hatte ich oft Probleme.

Vanessa Freytag

Ich war vier Jahre in der Grundschule und fünf Jahre in der _____. Wir hatten nicht so viele Fächer, zum Beispiel nur eine Fremdsprache. Deutsch, Mathe und die Vorbereitung auf die Arbeitswelt sind besonders wichtig. Wir haben oft Projekte gemacht, das war super.

Nach dem Hauptschulabschluss vor vier Jahren habe ich sofort eine Ausbildung als Arzthelferin begonnen. Ich möchte Karriere machen, deshalb lerne ich in einem Abendkurs. Ich möchte den Realschulabschluss machen.

Aishe Yilmaz

Ich war sechs Jahre an der _____,
dort hat es mir eigentlich
gut gefallen. Wir haben viel gelernt, wir hatten
auch Praktika und die Schule dauert nicht so lange
wie das Gymnasium. Vor zwei Jahren habe ich

dann meinen Realschul-
abschluss gemacht.
Nach der Schule habe ich
in einem Ferienclub in der
Türkei gejobbt. Ich habe
Sportstunden gegeben.
Jetzt beginne ich eine
Ausbildung als Physiothe-
rapeutin.

David Kulprin

Ich war nur sechs Jahre an
einer _____,
weil ich kein Abitur machen
wollte. Ich finde die

_____
gut. Man muss sich nämlich
nicht mit 10 Jahren für einen
Schultyp entscheiden. Man
kann alle Abschlüsse machen,
also sind Stundenplan und Fächer wie an den anderen Schulen.

Für mich war der Realschulabschluss perfekt, ich wollte nämlich eine Ausbildung als
Bankkaufmann machen. Seit zwei Monaten
bin ich fertig und suche jetzt eine Arbeitsstelle.

	Sebastian Lamm	Vanessa Freytag	Aishe Yilmaz	David Kulprin
Schultyp				
Dauer				
Fächer				
Schulabschluss				
gut / nicht so gut	☺ 3 Sprachen ☹ Physik, Chemie			

c Berichten Sie in Ihrer Gruppe über Ihren Text. Ergänzen Sie die fehlenden Informationen für die anderen Personen in der Tabelle.

Sebastian Lamm war im ...

Er ist insgesamt 12 Jahre in die Schule gegangen.

d Welche Unterschiede gibt es zu Ihrem Land? Was ist ähnlich oder gleich? Vergleichen Sie im Kurs.

Bei uns dauert die Schule nur 11 Jahre.

Die Grundschule dauert sechs Jahre.

Es gibt auch ein Gymnasium.

13

a Ihre Traumschule. Arbeiten Sie in Gruppen. Was ist eine ideale Schule für Sie? Sammeln Sie gemeinsam und machen Sie Notizen.

> Unterrichtszeiten • Ferien • Fächer • Lehrer • Klassenzimmer • Pausen • Stundenplan

b Präsentieren Sie Ihre Ergebnisse im Kurs.

In unserer Traumschule kann man die Fächer frei wählen. Der Unterricht beginnt um ...

Der Film

14 **a** Die Schulzeit. Welche Dinge aus der Schulzeit möchten Sie auch in zwanzig Jahren noch haben? Was haben Sie noch? Sprechen Sie im Kurs.

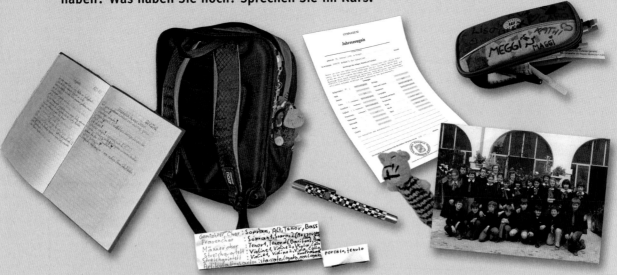

2.3

b Sehen Sie Szene 3. Was hat den Personen in der Schulzeit (nicht) gefallen?

	Annalisa	Frau Wagner	Bea
☺			
☹			

15 **a** Neu in München. Sie sind neu in einer Stadt und sprechen mit einem Kollegen / einer Kollegin. Was sagen oder fragen Sie? Sammeln Sie zu dritt und vergleichen Sie im Kurs.

2.4

b Sehen Sie Szene 4 und notieren Sie: Was möchte Iris wissen? Vergleichen Sie mit Ihren Fragen aus 15a.

2.4

c Was antwortet Bea? Sehen Sie die Szene noch einmal und markieren Sie Beas Antworten.

1. Einkaufen? a In einer schönen Boutique in Neuhausen. b In einem Geschäft im Zentrum.
2. Weggehen? a Komm doch einfach mit mir mit. b Am besten holst du dir ein Monatsmagazin.
3. Berge? a Ja, warte ... b Nein, leider noch nicht.
4. Museum? a Im Kunstareal gibt es viele Museen. b Ich gehe am liebsten ins Lenbachhaus.

d Schreiben Sie einen Dialog wie in Szene 4 für Ihren Kursort oder Ihre Heimatstadt. Spielen Sie die Szene zu zweit.

Kurz und klar

über die Schulzeit sprechen

Wie lange musstest du Hausaufgaben machen?	– Zwei Stunden am Tag.
Wann konntest du Sport machen?	– Am Wochenende, da hatte ich Zeit.
Durftest du am Abend Freunde treffen?	– Nein, nur am Wochenende.
Musstest du eine Schuluniform tragen?	– Nein, ich konnte meine Kleidung selbst wählen.

Beiträge kommentieren

Das kann ich gut verstehen.	Das war bei mir auch so / nicht so.
Wirklich?	Das ist interessant.
Das kenne ich gut.	Wie komisch!
Nicht zu glauben!	Das ist ja lustig/komisch/schrecklich/...!
Das wundert mich.	Das überrascht mich.

beitragen = contribute

überraschen = surprise

beschreiben, wo etwas ist

describe

Wo ist das Kochbuch?	– Ich habe es ins Regal gestellt.
Wo ist die Tasse?	– Ich habe sie in den Schrank gestellt.
Wohin hast du die Uhr gehängt?	– Die Uhr hängt neben der Tür.
Wohin hast du das Messer gelegt?	– Es liegt auf dem Tisch.

wo = where

wohin =

woher = whence, from where

Grammatik

Modalverben im Präteritum

	wollen	können	müssen	dürfen	sollen
ich	wollte	konnte	musste	durfte	sollte
du	wolltest	konntest	musstest	durftest	solltest
er/es/sie	wollte	konnte	musste	durfte	sollte
wir	wollten	konnten	mussten	durften	sollten
ihr	wolltet	konntet	musstet	durftet	solltet
sie/Sie	wollten	konnten	mussten	durften	sollten

Positionsverben

Wohin?	Wo?
stellen	stehen
legen	liegen
hängen	hängen

Wohin? – Ich stelle die Tasse in den Schrank.
Wo? – Die Tasse steht im Schrank.

Wechselpräpositionen mit Akkusativ und Dativ

Wohin? ➲ Präposition + Akkusativ	Wo? ⊙ Präposition + Dativ
Wohin hast du meine Tasse gestellt?	**Wo** ist die Tasse?
der Schrank → **In den** Schrank.	der Schrank → **Im** Schrank.
das Regal → **Auf das** Regal.	das Regal → **Auf dem** Regal.
die Tür → **Neben die** Tür.	die Tür → **Neben der** Tür.
die Zeitungen → **Auf die** Zeitungen.	die Zeitungen → **Auf den** Zeitungen.

Wechselpräpositionen:
in, an, auf, neben, zwischen, über, unter, vor, hinter

E-Mails checken 5

7 telefonieren   bloggen

Medien im Alltag

spielen 1

8 Radio hören

Musik hören 8

6 chatten

skypen 6

am Computer lernen 5

8 SMS schicken (simsen)

texting

1   Sehen Sie die Bilder an. Was machen die Personen auf den Fotos? Beschreiben Sie.

Wortschatz
AB

2   **a** Ein Medientag. Hören Sie. Was haben die beiden Personen gemacht? Machen Sie Notizen.

1.22–23

Veronika Nasch	Matthias Glinz
Zeitung gelesen, …	

3 im Online-Netzwerk etwas posten

Videos im Internet ansehen

7 Zeitung lesen

Musik herunterladen
(downloaden) 5

Tickets kaufen 2

Dateien anklicken

Internet surfen 3

fernsehen 4

Informationen recherchieren 3

b Welche Medien haben Sie gestern benutzt?

☐ das Fernsehgerät ☐ das Radio ☐ der Computer ☐ der MP4-Player / der I-Pod ☐ die Zeitung

☐ das Buch ☐ die Spielekonsole ☐ das Handy / das Smartphone ☐ der/das Tablet ☐ das E-Book

c Was machen Sie am häufigsten mit dem Computer oder Smartphone? Bringen Sie Ihre
Aktivitäten in eine Reihenfolge. Vergleichen Sie mit einem Partner / einer Partnerin.

| oft | manchmal | selten | nie |

3.5

3 Wie heißt das in Ihrer Sprache? Ergänzen Sie.

Englisch	Deutsch		Ihre Sprache
to chat	chatten	Chatt**est** du oft?	_____
to skype	skypen	Wir haben gestern **ge**skyp**t**.	_____
to twitter	twittern	Frau Lindström twitter**t** oft.	_____
to blog	bloggen	Ralf hat auf seiner Reise **ge**bloggt.	_____

Was ist besser?

4 **a** Medienwelt. Was sehen Sie auf den Fotos?

Auf Foto A sieht man ...

auf deutsch DVDs

A ___

B ___

C ___

D ___

e-Buch E Book

b Hören Sie vier Gespräche. Zu welchen Fotos passen die Gespräche? Ordnen Sie zu.

1.24–27

#1 = B   #2 - D   #3 - C   #4 - A

c Ergänzen Sie den Dialog. Hören Sie noch einmal zur Kontrolle.

1.28

lieber • besser • ~~praktischer~~ • größer • billiger • mehr • cooler

◆ Kauf doch ein Tablet. Das ist viel _praktischer_ als ein Laptop. Und ~~billiger~~ _cooler_.

◆ Findest du? Auf dem Laptop kann man aber _besser_ schreiben und der Bildschirm *(screen)* ist _grösser_.

◆ Aber ein Laptop kostet _mehr_ als ein Tablet. Tablets sind _billiger_ ~~cooler~~ als Laptops.

◆ Das stimmt. Aber ich arbeite _lieber_ mit einem Laptop als mit einem Tablet.

Komparativ

billig – billig**er**
groß – größ**er**
teuer – teu**er**

gut – **besser**
gern – **lieber**
viel – **mehr**

d Und Sie? Sprechen Sie über die Fotos und vergleichen Sie.

praktisch • schnell • teuer • langsam • billig • gut • modern • leicht • klein • cool • ...

Ich finde E-Books besser als Bücher, weil Bücher so viel Platz brauchen.

Ein Smartphone ist praktischer als ein Handy, weil ...

Das ist wichtig für mich

928

5

🔊 29–32

a Hören Sie die Umfrage. Welche Geräte sind für die Leute wichtig? Ergänzen Sie die Aussagen.

	Warum?
1 Mein _Smartphone_ ist für mich wichtiger als mein ___Laptop___. Paula, 30 Jahre	*kann alles machen: telefonieren, E-Mails schreiben, ... internet kaufen*
2 Der ___Computer___ ist zurzeit nicht so wichtig wie meine Spielekonsole. *Comp?* Luis, 12 Jahre	*Viel Spaz machen mit Freuden*
3 Mein ___Computer___ ist für mich genauso wichtig wie mein ___Fernsehrer___. Otto, 65 Jahre	*Skype w/ USA Computer den Änklen (g'd Fernseher erspannt (relax)*
Mein ___Laptop___ ist für mich wichtiger als mein ___Handy___. Levin, 20 Jahre	*Laptop arbeitet, aber gehe nie aus dem Hause*

Handy   Laptop

🔊 29–32
🗂

b Hören Sie noch einmal. Warum ist dieses Gerät so wichtig für die Leute? Ergänzen Sie die Tabelle in 5a und berichten Sie.

> *Für Paula ist das Smartphone wichtiger als der Laptop, weil sie mit dem Smartphone ...*

Vergleiche mit *als*, *wie*

Mein Smartphone ist für mich **wichtiger als** mein Laptop.

Mein Fernseher ist für mich **(genau)so wichtig wie** mein Computer.

Mein Handy ist **nicht (genau)so wichtig wie** mein Laptop.

c Und Sie? Schreiben Sie zwei Vergleichssätze und vergleichen Sie im Kurs. Welche Geräte sind in Ihrem Kurs besonders wichtig?

> *Für mich ist das Handy wichtiger als ...*
> *Ich benutze meinen Laptop nicht so oft wie ...*

6

🔊 1.33

a *b* oder *w*? Welche Web-Adresse hören Sie? Markieren Sie.

1	2	3	4	5	6	7	8
balder.de	benger.ch	balter.at	busch.de	beiser.at	billner.ch	bachmann.de	bock.at
walder.de	wenger.ch	walter.at	wusch.de	weiser.at	willner.ch	wachmann.de	wock.at

🔊 1.34

b Lesen Sie die Sätze laut und hören Sie zur Kontrolle.

1. Wann willst du das Buch bezahlen?   3. Warum willst du den Blogbeitrag lesen?
2. Wahrscheinlich wünscht er sich wieder ein E-Book.

c Spielen Sie „Stille Post". Flüstern Sie Ihrem Nachbarn / Ihrer Nachbarin ein Wort mit dem Anfangsbuchstaben b oder w ins Ohr. Er/Sie flüstert das Wort weiter. Der Letzte schreibt das Wort an die Tafel. Ist es richtig geschrieben? Danach beginnt eine neue Runde.

Meine Meinung ist ...

7

a Lesen Sie die Texte. Was finden die Personen gut, was nicht? Notieren Sie.

Ein Thema, zwei Meinungen: Internet – eine Gefahr?

→ Steven Amann, 34

Für mich persönlich ist es sehr gut, dass es das Internet gibt. Ich glaube, dass ich jeden Tag den Computer anmache und online bin. Ich kann schnell Informationen finden. Das Internet macht es auch möglich, dass ich mit Leuten an ganz anderen Orten zusammenarbeite. Wir telefonieren auch über das Internet. Aber es gibt auch Probleme: Jugendliche stellen zu viel private Informationen ins Netz. Sie müssen vorsichtiger sein. Und ich finde es schade, dass die Leute so viel Zeit im Internet verbringen.

→ Katrin Hofer, 23

Mein Computer ist fast immer an. Ich finde es total gut, dass ich im Internet immer einkaufen kann, am Tag oder auch in der Nacht. Das geht einfach und schnell und ist billig. Und ich meine, dass man oft wirklich gute Dinge finden kann. Ich habe auch über Facebook und E-Mails immer Kontakt zu meinen Freunden.

Manche Leute reden von den Gefahren im Internet. Aber es gibt doch überall Kriminelle! Wichtig ist, dass man ein bisschen aufpasst, nicht nur im Internet.

Internet: Vorteile	*Internet: Nachteile*

b Suchen Sie Sätze mit *dass* in 7a. Markieren Sie *dass* und das Verb.

c Wer sagt das? Schreiben Sie dass-Sätze in den Kasten.

1 *Einkaufen im Internet ist oft billiger.*

2 *Die Kollegen rufen über das Internet an.*

3 *Man kann gemeinsam an Projekten arbeiten.*

4 *Nicht nur im Internet muss man aufpassen.*

indirect, so "dass" connects

NEBEN SATZ

Nebensatz mit dass

Hauptsatz	Nebensatz			
Steven Amann sagt,	dass	man	gemeinsam an Projekten	arbeiten kann.
Er findet es gut,	dass	~~man~~ er	die Koll uber das I	anrufen.
Katrin Hofer ist froh,	~~dass~~	Einkaufen	im Internet oft billiger	ist.
Sie sagt,	dass	man	nicht nur im Internet aufpassen	muss.
	Konnektor			**Verb: Satzende**

HauptSatz

put conjugated verb am Ende

8

Und was ist Ihre Meinung? Sprechen Sie in Gruppen.

Ich glaube/denke/finde/meine, dass ...
Ich finde es gut/wichtig/interessant, dass ...
Ich bin sicher/froh/glücklich/..., dass ...
Es ist gut/schlecht/..., dass ...

nützlich sein • wichtig sein • spielen • gefährlich sein • überall online sein • Informationen suchen und finden • zu Hause arbeiten • Freunde finden • ...

Ich denke, dass das Internet nicht gefährlich ist.

when you ask wass? then connector is dass

if use weil, can always ask warum

Das mache ich am liebsten

9

a Interview mit Dieter Mayr. Lesen Sie die Antworten. Was waren die Fragen? Ordnen Sie zu.

Dieter Mayr ist Fotograf. Nach 12 Jahren in New York lebt und arbeitet er jetzt in München. Er fotografiert für Zeitschriften, Werbung und Buchverlage.

Fragen

A Was fotografieren Sie am liebsten?
B Was gefällt Ihnen in Ihrem Beruf am besten?
C Was ist bei Ihrer Arbeit am wichtigsten?
D Was machen Sie am liebsten in Ihrer Freizeit?
E Was wollten Sie als Kind werden?
F Welche Musik hören Sie am häufigsten?
G Welcher Star war am nettesten?
H Welches Shooting hat am längsten gedauert?

Antworten

1. _E_ Fußballer. Fußballprofi, das war mein Traumberuf.
2. _B_ Ich lerne immer wieder interessante Menschen kennen.
3. _A_ Menschen in jedem Alter. Das mache ich lieber als Fotos von Landschaften oder Produkten.
4. _G_ Bully Herbig. Er ist nicht so kompliziert wie viele andere Stars.
5. _H_ Das Porträt des Rappers DMX. Er ist sechs Stunden zu spät gekommen.
6. _C_ Am wichtigsten ist, dass das Licht stimmt.
7. _D_ Ich gehe ins Stadion und sehe ein Spiel von meinem Lieblingsverein, dem FC Bayern.
8. _F_ Klassik und Johnny Cash.

b Hören Sie das Interview und kontrollieren Sie Ihre Lösungen.
1.35

c Markieren Sie im Interview die Adjektive im Superlativ.
3.6

d Besuchen Sie die Homepage von Dieter Mayr: www.dietermayr.com. Welches Foto gefällt Ihnen am besten? Berichten Sie.

Ich finde das Foto ... am schönsten.

Superlativ		
schön	schöner	am schönsten
gut	besser	am besten
gern	lieber	am liebsten
viel	mehr	am meisten

10

a Welche berühmte Person möchten Sie interviewen? Was möchten Sie fragen? Schreiben Sie fünf bis acht Fragen nach dem Muster von 9a auf ein Blatt.

Mario Götze:
Was essen Sie am liebsten?
Welche Musik ...?

Steigerung
Viele kurze Adjektive haben bei der Steigerung einen Umlaut:
alt – älter – am ältesten

b Wer möchte Ihre Person spielen? Suchen Sie einen Partner / eine Partnerin und machen Sie mit ihm/ihr das Interview. Berichten Sie dann im Kurs.

1.36

Mario Götze isst am liebsten das Essen von seiner Oma.

Gut gesagt: in einem Gespräch Zeit gewinnen oder Wörter suchen
Wie sagt man gleich?
Warten Sie mal! / Warte mal!
Äh ...
Ein, ein ... Dingsbums. Wie heißt das?

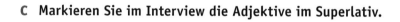

Kino! Kino!

11 **Bilden Sie kleine Gruppen und sprechen Sie über Filme. Die Fragen helfen.**

1. Wie oft sehen Sie Filme?
2. Was für Filme (Komödie, Thriller, Romanze, Fantasy-Film, Actionfilm, ...) sehen Sie gern?
3. Wo sehen Sie Filme? Im Fernsehen, im Kino, auf DVD oder im Internet?
4. Was ist Ihr Lieblingsfilm?
5. Wer sind Ihre Lieblingsschauspieler, wer Ihr Lieblingsregisseur?
6. Bei welchem Film haben Sie viel gelacht oder geweint?

> **Filme auf Deutsch**
> Sehen Sie Ihre
> Lieblings-DVD auf
> Deutsch an.

12 a **Lesen Sie die Filmbeschreibung und die Aussagen. Sind die Aussagen richtig oder falsch? Korrigieren Sie die falschen Sätze.**

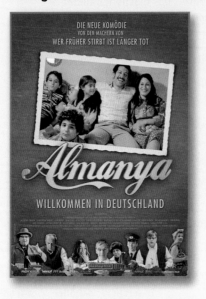

Mitte der Sechzigerjahre sind Hüseyin Yilmaz und seine Familie (wie viele andere Familien auch) aus der Türkei nach Deutschland gekommen – als Ausländer und Gastarbeiter. 40 Jahre später ist das fremde Land – wenigstens für die Kinder und Enkel – zur Heimat geworden. Bei einem Essen überrascht Hüseyin Yilmaz seine Familie mit der Nachricht, dass er ein Haus in der Türkei gekauft hat. Die Familie ist skeptisch, fährt aber mit ihm zusammen in die Türkei. Auf der langen Reise in einem Kleinbus gibt es viele Konflikte und Versöhnungen. Diese Komödie zeigt das Leben einer türkischen Familie über 40 Jahre in Deutschland und macht sich über viele Vorurteile lustig. In der ersten Hälfte bringt der Film die Zuschauer zum Lachen, in der zweiten auch zum Weinen.

	richtig	falsch
1. Der Film ist ein Actionfilm.	☐	☐
2. In dem Film geht es um eine Familie aus der Türkei.	☐	☐
3. Die Familie lebt seit vier Jahren in Deutschland.	☐	☐
4. Der Vater fährt allein in die Türkei.	☐	☐
5. Der Film ist lustig und traurig.	☐	☐

b **Lesen Sie die Kommentare zum Film. Wie viele Sterne geben die Leute dem Film? Markieren Sie die Sterne.**

Einfach klasse ★★★★★ von <u>TimTam</u>

Ich finde den Film super. Er ist wirklich lustig, aber auch spannend. Er spielt in Deutschland und in der Türkei. Das Thema kann nicht aktueller sein, das ist immer interessant. Wirklich empfehlenswert!

Ganz gut, aber nicht mehr ★★★★★ von <u>Peterson</u>

Der Film ist ganz gut, aber kein Highlight. Manche Szenen sind sehr lustig, andere eher Durchschnitt. Man muss den Film nicht zweimal sehen.

Zu viele Klischees ★★★★★ von <u>Korsan</u>

Der Film hat mir nicht gefallen. Er ist überhaupt nicht realistisch. Die Handlung ist total langweilig. Das Ende hat mir am wenigsten gefallen.

Viele super Ideen ★★★★★ von <u>Nora</u>

Das ist mein Lieblingsfilm! Diese Komödie macht wirklich Spaß. Man kann viel lachen, aber manchmal ist es auch traurig. Die Schauspieler sind auch sehr gut. Am besten ist der Hauptdarsteller Vedat Erincin. Er ist so sympathisch! Echt toll! Ihr müsst diesen Film sehen!

c Welche Formulierungen sind sehr positiv, welche positiv, welche negativ? Ordnen Sie zu.

> ~~Der Film ist ganz nett.~~ • Sehr spannend! • Die Handlung ist nicht logisch. •
> Der Film ist langweilig. • Das Ende hat mir nicht gefallen. • Der Film ist toll! •
> Die Schauspieler sind sehr gut. • Die Geschichte ist interessant. • Ich finde den Film sehr gut.

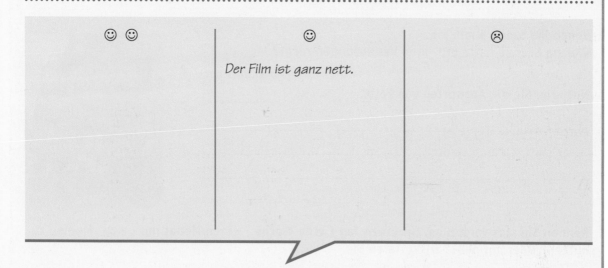

☺ ☺	☺	☹
	Der Film ist ganz nett.	

d Ergänzen Sie in der Tabelle weitere Formulierungen aus den Kommentaren in 12b.

13 a Welchen Film haben Sie zuletzt gesehen? Suchen Sie im Internet eine kurze Beschreibung und bringen Sie sie in den Kurs mit.

b Schreiben Sie einen Kommentar zu dem Film. Verwenden Sie auch die Formulierungen aus 12c.

> *Good Bye, Lenin!*
> *Ich finde den Film super. Man kann viel lachen, aber*
> *manchmal ist er auch traurig. Der Film ist interessant*
> *und macht neugierig auf das Thema …*

c Hängen Sie alle Filmbeschreibungen und Kommentare im Kursraum auf. Welchen Film kennen Sie auch? Schreiben Sie einen Kommentar dazu.

Der Film

14 **a** Alte und neue Medien. Bilden Sie Gruppen und sehen Sie Szene 5 ohne Ton. Vermuten Sie:
Was passiert? Die Fragen helfen.

3.5

Was macht Felix?   Warum kommt Ella zu Felix?   Was macht Ella bei Felix?   Über was sprechen sie?

b Sehen Sie Szene 5 mit Ton.
Welche Gruppe hatte mit ihren Vermutungen recht?

3.5

Was kann man alles mit dem Tablet machen?

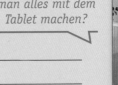

c Notieren Sie die Antworten von Felix.

_____

_____

_____

_____

d Können Sie sich vorstellen, für einen Tag / eine Woche / einen Monat nur „alte" Medien zu
nutzen? Oder nur neue? Diskutieren Sie.

15 **a** Bitte lächeln! Sehen Sie das
Foto an. Wo ist Bea? Warum
ist sie dort? Vermuten Sie.

b Sehen Sie Szene 6. Waren
Ihre Vermutungen richtig?

3.6

c Wer sagt was? Verbinden Sie und sehen Sie noch einmal zur Kontrolle.

3.6

Fotografin

1. Was fotografieren Sie eigentlich am liebsten?
2. Und ganz freundlich mit den Augen ...
3. Und jetzt schauen Sie mich an.
4. Ich brauche Fotos für eine Bewerbung.
5. Dann kommen Sie mit mir mit.
6. Das Studio ist im ersten Stock.
7. Ah, Kundschaft. Also dann bis übermorgen.
8. Und wann sind die Fotos fertig?
9. Was kann ich für Sie tun?
10. Am liebsten Menschen.

Bea

d Machen Sie zu dritt ein Fotoshooting. Einer spielt den Fotografen und gibt Anweisungen,
die zwei anderen sind Fotomodelle. Dann tauschen Sie die Rollen.

> Bitte lachen/lächeln! • Kopf nach oben / zur Seite / nach links/rechts ... • Schultern zurück! • ...

Kurz und klar

über Vor- und Nachteile sprechen, Vergleiche formulieren

Ich finde, ein Tablet ist praktischer als ein Laptop.
Ich finde E-Books besser als Bücher, weil Bücher so viel Platz brauchen.
Der Computer ist nicht so wichtig wie meine Spielekonsole.

die eigene Meinung ausdrücken

Ich glaube/denke/finde, dass das Internet sehr nützlich ist.
Ich finde es gut/wichtig/..., dass ich zu Hause arbeiten kann.
Ich bin sicher/froh/glücklich/..., dass man im Internet Informationen finden kann.

über Vorlieben sprechen

Am liebsten höre ich Klassik.
Mir gefällt Fußball am besten.
Ich finde Bully Herbig am nettesten.

über Filme sprechen/schreiben

Der Film ist toll/lustig/spannend!
Ich finde den Film sehr gut/super.
Das ist mein Lieblingsfilm!
Die Schauspieler sind sehr gut.
Diese Komödie macht wirklich Spaß.
Sehr spannend!
Wirklich empfehlenswert!

Der Film ist ganz nett.
Die Geschichte ist interessant.
Der Film ist ganz gut, aber kein Highlight.
Manche Szenen sind sehr lustig, andere eher Durchschnitt.

Die Handlung ist nicht logisch.
Der Film ist langweilig.
Man muss den Film nicht zweimal sehen.
Er ist überhaupt nicht realistisch.
Das Ende hat mir nicht gefallen / am wenigsten gefallen.

Grammatik

Adjektive: Komparativ und Superlativ

	Komparativ	Superlativ
billig	billiger	am billigsten
groß	größer	am größten
nett	netter	am nettesten
teuer	teurer	am teuersten
gut	besser	am besten
gern	lieber	am liebsten
viel	mehr	am meisten

Vergleiche

Mein Smartphone ist für mich **wichtiger als** mein Laptop.

Mein Fernseher ist für mich **(genau) so wichtig wie** mein Computer.

Mein Handy ist **nicht (genau) so wichtig wie** mein Laptop.

Nebensatz mit *dass*

Hauptsatz			Nebensatz mit *dass*			
Katrin Hofer	ist	froh,	**dass**	Einkaufen	im Internet oft billiger	**ist**.
Steven	sagt,		**dass**	man	gemeinsam an Projekten	**arbeiten kann**.
Er	findet	es gut,	**dass**	die Kollegen	über das Internet	**anrufen**.
			Konnektor			Verb: Satzende

Wiederholungsspiel

1 Spielen Sie zu zweit oder in zwei Paaren. Sie brauchen zwei Spielfiguren und einen Würfel.
Ziel: Sammeln Sie so viele Punkte wie möglich.

Sie beginnen bei „Start". Würfeln Sie und ziehen Sie Ihre Spielfigur. Sie dürfen vorwärts (→) oder rückwärts (←) gehen.

8 Sie kommen auf ein nummeriertes Aufgabenfeld: Lösen Sie die gelbe Aufgabe oder die orange Aufgabe mit dieser Nummer.
Sie lösen eine gelbe Aufgabe richtig: 1 Punkt. Sie lösen eine orange Aufgabe richtig: 2 Punkte.
Sie lösen die Aufgabe falsch: Sie verlieren 1 Punkt bei Gelb oder 2 Punkte bei Orange.
Notieren Sie Ihre Punkte.

+2 Auf den roten Feldern bekommen Sie zwei Extrapunkte,

-1 auf den blauen Feldern einen Minuspunkt.

X Wenn Sie auf das grüne Feld kommen, müssen Sie einmal aussetzen.

Auf diesem Feld müssen Sie nichts machen.

Sie dürfen jede Aufgabe nur einmal lösen. Wenn also der andere Spieler schon die gelbe Aufgabe gelöst hat, müssen Sie die orange Aufgabe nehmen. Wenn der erste Spieler das Ziel erreicht hat, zählen Sie die Punkte. Wer hat die meisten Punkte?

1. Wie heißt der Artikel? _____ Herd, _____ Topf, _____ Messer
2. Was macht man mit Gemüse? Nennen Sie zwei weitere passende Verben: Gemüse schälen, Gemüse ...
3. Ergänzen Sie die Endungen: Claudia hat von ihr____ Mutter Italienisch gelernt. Max spielt oft mit sein____ Vater Schach.
4. Ergänzen Sie das Reflexivpronomen: Claudia und Max treffen _____ heute Abend im Kino.
5. Bilden Sie einen Satz: du – müssen – sich beeilen
6. Verbinden Sie die Sätze mit *weil*: Claudia ist glücklich. Sie hat Max getroffen.
7. Wie heißen die Präteritum-Formen von *dürfen*? Ich _____, du _____, er/es/sie _____, wir _____, ihr _____, sie/Sie _____
8. Modalverben im Präteritum. Ergänzen Sie: Am Nachmittag m_____ ich lernen, aber am Abend k_____ ich am Computer spielen.
9. Ergänzen Sie die Artikel: Ich habe den Teller in _____ Schrank gestellt. Die Tasse steht auf _____ Tisch.
10. *Liegen* oder *legen*? Ich _____ die Zeitung ins Regal.
11. Nennen Sie noch drei Medien: der Fernseher, ...
12. *wie* oder *als*? Ich esse lieber Reis _____ Kartoffeln. Ich koche nicht so gut _____ mein Vater.
13. Ergänzen Sie Komparativ und Superlativ: wichtig – wichtiger – am wichtigsten, lang – _____ – _____, nett – _____ – _____
14. Ergänzen Sie den Superlativ: In meiner Freizeit gehe ich am _____ ins Kino.
15. Ergänzen Sie: Susi hat gesagt, _____ sie oft im Internet surft.

1. Was braucht man in der Küche? Nennen Sie drei Gegenstände mit Artikel.
2. Wie heißen die Verben?
3. Ergänzen Sie die Possessivartikel: Lisa geht mit _____ Mutter einkaufen. Dann kocht sie für _____ Familie Mittagessen.

4. Nennen Sie noch drei reflexive Verben: *sich freuen*, ...
5. Reflexivpronomen. Was gehört zusammen? *ich – mich*, ...

   sich • ich • euch • du • ihr • sie • dich • sich • uns • mich • wir • er

6. Antworten Sie mit *weil*: Warum sind Sie so müde?
7. Wie heißt das Präteritum? er muss – er _____, er kann – er _____, er will – er _____
8. Modalverben im Präteritum. Welches Modalverb passt? Früher _____ ich immer viele Hausaufgaben machen und _____ meine Freunde nicht oft treffen.
9. Bilden Sie Sätze: ich – legen – das Buch – auf – der Tisch, das Handy – liegen – unter – der Stuhl

10. Welches Verb passt?
    Die Frau _____ die Uhr an die Wand.
11. Was kann man im Internet machen? Bilden Sie drei Sätze.
12. Vergleichen Sie. Bilden Sie einen Satz mit *als* und einen Satz mit *wie*.

13. Ergänzen Sie Komparativ und Superlativ: gern – lieber – am liebsten, gut – _____ – _____, viel – _____ – _____
14. Was machen Sie am liebsten in Ihrer Freizeit? Bilden Sie drei Sätze mit *gern, lieber, am liebsten*.
15. Was denken Sie über das Internet? Bilden Sie einen Satz: Ich denke, dass ...

Eine Schulgeschichte

2

a Was kennen Sie aus Ihrer Schulzeit? Lesen Sie, kreuzen Sie an und ergänzen Sie.

1	eine schlechte Note schreiben	5	bei einer Prüfung abschreiben – und der Lehrer sieht es ...
2	Hausaufgaben vergessen	6	Bücher oder Hefte vergessen
3	eine Unterschrift von den Eltern mitbringen müssen	7	nicht in den Unterricht gehen
4	zu spät kommen	8	...

b Was haben Sie in den Situationen in 2a gemacht? Erzählen Sie.

3

a Sehen Sie Bild 1 an.
Beschreiben Sie das Bild.

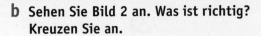

Auf dem Bild sieht man einen Lehrer und ...

b Sehen Sie Bild 2 an. Was ist richtig?
Kreuzen Sie an.

1. Der Schüler soll die Aufgabe neu machen. ☐
2. Er soll ein neues Heft kaufen. ☐
3. Sein Vater soll im Heft unterschreiben. ☐
4. Der Schüler soll im Heft unterschreiben. ☐

c Arbeiten Sie zu zweit. Machen Sie Notizen für einen Dialog zwischen Vater und Sohn. Spielen Sie dann Ihren Dialog.

Vater: Was machst du da?
Sohn: Ich kann nichts sehen. Ich übe ...

d **Wie geht die Geschichte weiter? Erzählen Sie.**

> das Heft wieder in die Schultasche packen •
> die Unterschrift üben •
> ausprobieren •
> die Augen verbinden •
> das Heft vor den Vater legen •
> das Heft aus der Schultasche nehmen •
> nichts sehen können • …

Der Vater möchte auch …

4 **a** **Tricks von Schülern. Lesen Sie die Situationen.**
Schreiben Sie zu drei Kärtchen einen Trick.

Ihr Handy klingelt
im Unterricht.

Sie haben für eine
Prüfung nicht gelernt.

Sie haben verschlafen.

Sie haben Ihre Hausaufgaben
nicht gemacht.

Der Lehrer stellt Ihnen eine Frage,
aber Sie haben nicht zugehört.

Sie wollen nicht zum
Schulsport gehen.

…

Ich habe die
Hausaufgabe vor
der Unterrichtsstunde
von einem Freund
abgeschrieben.

b **Vergleichen Sie die Tricks. Welche sind am besten?**

Lernziele

sich bedanken und Glückwünsche
   aussprechen
über Gefühle sprechen
Informationen über Festivals
   verstehen und darüber sprechen
über eine Stadt schreiben
Freude/Bedauern ausdrücken
über ein Lied sprechen
Blogeinträge verstehen und
   schreiben, Überschriften finden

Grammatik
Nebensatz mit *wenn*
Adjektive nach dem bestimmten
   Artikel

1

Große und kleine Gefühle

das Abiturzeugnis

die Schultüte *cone shaped bag*

der Führerschein

2

3

1

a Arbeiten Sie in Gruppen. Jeder wählt ein Bild und beschreibt es. Was sehen Sie auf dem Bild?
Was machen die Leute? Die anderen raten: Welches Ereignis ist das? Die Wörter im Kasten helfen.

die Hochzeit • der Schulabschluss • der erste Schultag • die Führerscheinprüfung •
die Geburt von einem Kind • der erste Platz • das Jubiläum in der Firma

Es gibt ein Kind mit ...

4

die Medaille

der Blumenstrauß

die Ringe

der Storch
die Babykleidung

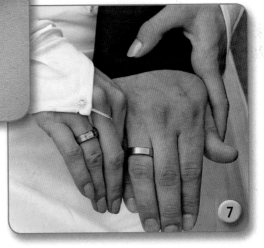

b Hören Sie die drei Gespräche. Zu welchen Fotos passen Sie?

1.37–39

Gespräch 1: Foto ___6___ Gespräch 2: Foto ___3___ Gespräch 3: Foto ___5___

2 Und bei Ihnen? Was feiert man bei Ihnen auch, was nicht? Wählen Sie ein Ereignis und berichten Sie. Die Fragen helfen Ihnen. Zeigen Sie auch Ihre Fotos von Festen oder Ereignissen.

Wie feiert man?   Was machen/sagen die Leute?
Wer lädt ein?   Gibt es Geschenke/Musik/Essen/...?
...

Herzlichen Glückwunsch

3 a Lesen Sie die Karten. Welche Karte passt wo? Welche Karte fehlt?

1. _∅_ Einladung zur Hochzeit
2. _C_ Glückwunschkarte von Gästen
   _(B)_
3. _A_ Dankeskarte nach der Hochzeit an die Gäste
4. _B_ Glückwunschkarte und Absage — *can't come*

A

Ein Traum

Blumen, Glückwünsche,
Geschenke, Freunde, Spaß
und Lachen –
ein wunderbarer Tag!

DANKE

Herzlichen Dank für die
Glückwünsche und Geschenke
zu unserer Hochzeit.

Julia & Thorsten

B

Liebe Julia, lieber Thorsten,

Wie schön, Ihr heiratet! Tausend Dank für die
Einladung zu Eurer Hochzeit. Wir haben uns
sehr gefreut. Leider können wir nicht kommen,
weil wir im Urlaub sind.
Wir gratulieren Euch sehr herzlich und
wünschen Euch alles Liebe zu Eurer Hochzeit
und eine sehr schöne Feier!

Herzliche Grüße
Petra und Jan   *wunsch*

C

Liebes Brautpaar,
herzlichen Glückwunsch
zur Hochzeit und für die Zukunft
alles Glück der Welt. Wir wünschen
Euch, dass es Euch immer gut
geht und dass Ihr glücklich seid!

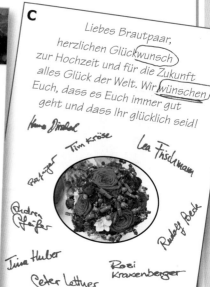

b Ergänzen Sie Ausdrücke aus den Karten.

Glück v. Danke

Glückwünsche aussprechen	sich bedanken
Alles Gute! / Viel Glück!	Danke! / Danke sehr! / Danke schön ...
Wir gratulieren Euch ...	*Herzlichen ...*
Spaß ~~M~~	

c Wählen Sie eine Situation und schreiben Sie eine Karte oder E-Mail.

1. Sie hatten Geburtstag und möchten sich bei Ihren Freunden für die Geschenke bedanken.
2. Sie können nicht zu einer Geburtstagsfeier kommen.
3. Sie schreiben einem Freund zum Geburtstag und gratulieren ihm.

**d Spielen Sie „Geschenke überreichen". Machen Sie einen Kreis. A gratuliert, gibt B ein
Fantasie-Geschenk und spielt das Geschenk pantomimisch. B dankt und muss das Geschenk
erraten. Dann gibt B ein Geschenk an C usw.**

Oh, vielen Dank für das Auto!

BRTTTUMM

4.7
4.8

Herzlichen Glückwunsch zum Führerschein!

gedueltisch

Emotionen

4

a Sehen Sie die Situationen auf den Fotos an. Wie fühlen Sie sich in dieser Situation?

glücklich sein / sich freuen 😃 •

traurig/unglücklich sein 😟 •

Angst haben 😨 • nervös sein 😬

> **un-**
> Mit der Vorsilbe „un-"
> kann man einige Adjektive
> und Substantive verneinen:
> glücklich ☺ – unglücklich ☹
> das Glück ☺ – das Unglück ☹

In Situation 1 bin ich ...

b Was passt zusammen?

1 ~~BCE~~ Ich bin nervös, C   A dann freue ich mich.

2 A Wenn ich ein Geschenk bekomme,   B wenn meine Freundin wegfährt.

3 D Wenn ich Achterbahn fahre, D   C wenn ich eine Prüfung habe.

4 B Ich bin traurig,   D habe ich Angst.

c Nebensatz mit *wenn*. Ergänzen Sie die Tabelle unten.

Hauptsatz			wenn-Satz		
Ich	bin	glücklich,	**wenn**	ich eine Prüfung	**bestehe.**
Ich	freue	mich,	**wenn**	meine Freundin	**anruft.**
Ich	ärgere	mich,	**wenn**	ich zu viel	**lernen muss.**

weil, Tot ist meiner Hund

wenn-Satz			Hauptsatz			
Wenn	ich eine Prüfung	**bestehe,**	(dann)	bin	ich glücklich.	
Wenn	meine Freundin	anruft	(dann)	~~bin~~ freue	ich mich.	*← oder bin ich froh.*
Wenn	ich zu viel	lernen muss	(dann)	ärgere	ich mich	*oder bin ich verärgert.*

5 In welchen anderen Situationen ärgern Sie sich, freuen Sie sich, sind Sie nervös oder haben Sie Angst? Sprechen Sie in Kleingruppen.

> Ich bin (un)glücklich/nervös/traurig/sauer/böse, wenn ...   Wenn ..., freue ich mich.
> Ich finde es schön/schade, wenn ...   Für mich ist es schön/traurig/aufregend, wenn ...
> Wenn ..., habe ich Angst.

lieb sein (OPPOSITE OF) böse sein

sauer - [über eine Persone]

böse - evil, mean (OPPOSITE is) "gute"

Norddeutsche Feste

Ich möchte gern zum Hurricane-Festival, weil ich ...

6

a Lesen Sie die Texte. Was für Feste sind das? Welches Fest möchten Sie besuchen? Warum?

Theaterfest • Historisches Stadtfest • Musikfest • Sportfest • Kinderfest

Home	Events	Galerie	Presse	Kontakt

in Kiel (no. DE)

Die weltweit bekannte **Kieler Woche** findet Ende Juni statt. Eigentlich ist es eine Segelregatta, aber das internationale Programm ist nicht nur für Sportfans interessant: Bands geben Konzerte und auf dem bunten Markt kann man Spezialitäten aus der ganzen DAT Welt kaufen. Der schöne Hafen von Kiel ist Treffpunkt für Segelschiffe aus der ganzen Welt. DAT

abwechseln - alternate, take turns

Das **Hurricane-Festival** in Scheeßel (Niedersachsen) ist ein Festival mit Konzerten und dauert drei Tage. Hier spielen Bands wie „Die Ärzte", aber auch Newcomer. Pop, Rock und Alternative – die verschiedenen Musikstile wechseln sich ab. Für die norddeutschen (Pl) Musikfans ist das Festival ein „Muss"! (missen)

b Björn war in Kiel und hat Fotos auf seine Facebook-Seite gestellt. Lesen Sie seine Kommentare und ordnen Sie die Fotos zu.

1. Das große Feuerwerk am Abend **Nom** war super! (Foto D)

2. Auch auf den kleinen Schiffen **DAT** ist viel los! (Foto B)

4.9

3. Ich habe auch den alten Hafen und **m AKK** das tolle Konzert besucht! (Foto A) **nt AKK**

4. Darf ich vorstellen? – Das junge Team vom **Nom nt** Segelschiff „Windjammer". (Foto C)

c Markieren Sie die Adjektive in 6a und b. Ergänzen Sie die fehlenden Formen in der Tabelle.

Adjektive nach dem bestimmten Artikel

	maskulin	neutrum	feminin	Plural
Nominativ	der schöne Hafen	das große Feuerwerk	die bekannte Kieler Woche	die verschiedenen Musikstile
Akkusativ	den alten Hafen	das tolle Konzert	die bekannte Kieler Woche	die norddeutschen Musikfans
Dativ	auf dem bunten Markt	auf dem tollen Konzert	aus der ganzen Welt	auf den kleinen Schiffen

(DATIV

7

a **Schwedenfest in Wismar. Lesen Sie den Text und markieren Sie die bestimmten Artikel und Substantive.**

Mit dem Schwedenfest erinnert Wismar jeden August an die Geschichte mit Schweden. Wie hat man vor 300 Jahren gelebt? Man kann den „Schwedenweg" gehen und an den Veranstaltungen teilnehmen.

b **Der Text in 7a klingt sehr neutral. Schreiben Sie den Text neu und verwenden Sie dazu die Adjektive. Achten Sie auf die Endungen.**

> gemeinsam • zahlreich • alt • beliebt

> *Mit dem beliebten Schwedenfest …*

c **Ein Fest in Ihrer Stadt oder in Ihrem Kursort. Arbeiten Sie in Kleingruppen und schreiben Sie einen kurzen Text über das Fest.**

Wie heißt das Fest?   Wann ist es?   Was feiert man?   Was kann man da machen?

8

40–41

a **So ein Glück! So ein Pech! Björn auf der Kieler Woche. Hören Sie die Gespräche A und B. Welche Ausdrücke hören Sie in welchem Dialog?**

> Das ist ja toll! ____   Das tut mir leid. ____   So ein Pech! ____   Das macht doch nichts. _A_
>
> Wie schön! ____   Da freue ich mich total. ____   Da hast du aber Glück gehabt! ____

b **Was ist hier passiert? Arbeiten Sie zu zweit. Wählen Sie eine Situation und schreiben Sie einen Dialog wie in 8a. Verwenden Sie die Ausdrücke aus a. Spielen Sie Ihre Szene vor.**

1.42

> auf einer Party sein • Glas
> auf den Teppich fallen • alles
> sauber machen • peinlich sein

> ein Los ziehen •
> öffnen • Glück haben •
> eine Reise gewinnen

2 Tage Städtereise nach **Paris!**

> **Gut gesagt:**
> **Wie unangenehm!**
> Oh, ist das peinlich!
> Das ist mir so unangenehm!
> Wie kann ich das wieder-
> gutmachen?
> Das tut mir schrecklich leid!

9

1.43

a **Emotionales Sprechen. Wie klingt das? Hören Sie und notieren Sie: fröhlich, traurig, gestresst, ärgerlich.**

1. _____   2. _____   3. _____   4. _____

1.44

b **Hören Sie. Erkennen Sie die Emotion? Notieren Sie die Nummer.**

fröhlich ___   traurig ___   ärgerlich ___   gestresst ___

1.45

c **Hören Sie die Sätze und sprechen Sie nach.**

1. Wie toll!   2. Na und?   3. Wie schön!   4. Wie schade!   5. Super!

d **Wählen Sie eine Emotion und sprechen Sie einen Satz. Die anderen raten die Emotion.**

Ende Anfang

Er ist ver~~wirrt~~ wirrt - confused

10 a Hören Sie das Lied *Ende Anfang* von der Band *Goya Royal*. Wie klingt das Lied für Sie? Was gefällt Ihnen?

🔘 1.46

> romantisch • traurig • poetisch • melancholisch • originell • klassisch

einfaches Lied
nicht originell
amateur
er jammert
(complain, whine)

> Ich finde, das Lied klingt poetisch.

> Das Lied gefällt mir gut, es klingt …

> Ich mag die Melodie, aber …

> Ich verstehe viel, das gefällt mir!

🔘 1.46 **b** Hören Sie noch einmal. Ergänzen Sie die fehlenden Wörter. *missing*

Ich bin zu jung.	Ich bin domestiziert,
Ich bin zu _alt_.	_alles_ erlebt,
Mir ist zu heiß	nichts ausprobiert. *make an experiment*
oder viel zu _kalt_.	Ich komme _nicht_ ans Ziel. *goal*
Das Hemd ist zu groß.	Ich bin schon längst _____.
Die Schuhe zu _____.	Du bist zu weit weg
Ja, ich war schon dort	oder viel zu _____.
und doch nie _____.	Am Ende noch …
Ich bin zu wild.	Am Anfang schon …

c Markieren Sie die Gegensätze im Lied.

what has been learned from experiences

friends

d Was denken Sie: Wovon erzählt das Lied? Diskutieren Sie in Kleingruppen. Erzählen Sie dann im Kurs.

> Kindheit • (un)glückliche Liebe • Erfahrungen • Freundschaft •
> Probleme mit anderen Menschen • Sehnsucht • Erinnerungen • …

the
longing
memories

> Ich glaube, das Lied erzählt von Erinnerungen. Jemand erinnert sich an Gefühle und Situationen.

> Nein, das glaube ich nicht. Das Lied handelt von …

e Schreiben Sie das Lied in der Kleingruppe weiter. Welche Gegensätze passen noch?

> Das ist zu schwer.
> Das ist zu leicht.

f Gehen Sie im Kurs herum und vergleichen Sie Ihre Varianten.

erleben = activities

Erfahrungen im fremden Land

11 a Carmen und Sergej schreiben Blogs über ihr Leben im Ausland. Arbeiten Sie zu viert. Lesen Sie jeweils zu zweit einen Blogeintrag und notieren Sie: Wo ist die Person? Was macht sie dort? Was gefällt ihr (nicht)?

Carmen aus
Heidelberg

Ich wollte schon lange ins Ausland und jetzt bin ich seit zwei Monaten in Argentinien. Ich arbeite in einer Sprachenschule und unterrichte Deutsch. Die Arbeit macht viel Spaß, im Kurs ist es oft lustig und wir sprechen viel.
Die Teilnehmer in meinem Kurs sind fast immer pünktlich, das ist mir schon wichtig. Aber wenn ich Freunde treffe, dann ist eigentlich niemand pünktlich ... außer mir! 5
Dann sitze ich oft lange allein in einem Restaurant. Ich nehme immer ein Buch mit, dann ist mir nicht so langweilig ;-).
Überhaupt treffen sich meine Freunde ziemlich spät, um 22 Uhr oder sogar später.
Meine Freunde erzählen viel und fragen auch nach Deutschland und Europa. Mein Spanisch ist schon viel besser geworden, das ist super! 10
Musik ist hier sehr wichtig, aber zum Glück nicht nur Tango-Musik. Ich habe gedacht, alle hören immer Tango und können super Tango tanzen, aber das stimmt nicht. Alle gehen gern in die Disco und tanzen auch ganz „normal". Da kann ich zum Glück auch mitmachen ☺!

Bei meiner Ankunft in Deutschland vor einem Jahr war ich ziemlich überrascht, wie einfach bestimmte Sachen sind, z. B. die Anmeldung an der Uni oder im Wohnheim. Die Mitarbeiter waren freundlich und hilfsbereit und nirgends musste ich lange warten.
Man sagt ja, die Deutschen sind so akkurat und ordentlich. Das stimmt sicher nicht
5 immer, wenn ich da an die Zimmer von einigen deutschen Studenten denke ...! Aber im Verkehr und auf den Straßen ist es eigentlich schon richtig. Wenn der Bus um 9.12 Uhr abfahren soll, dann fährt er (meistens) auch um 9.12 Uhr ab. Das macht das Leben weniger stressig – aber dafür fehlt auch ein Grund, wenn man zu spät kommt ;-)

Sergej aus Moskau

Das Leben hier gefällt mir sehr gut. Die Studenten sind interessiert und nett und ich habe schon neue
10 Freunde gefunden. Sie haben mir schon vieles hier gezeigt und finden es nicht schlimm, wenn ich etwas nicht verstehe.
Manchmal bin ich auf Partys eingeladen und jeder soll dann etwas zu essen und zu trinken mitbringen. Das kann ich nicht verstehen! Wenn ich Freunde einlade, dann möchte ich ihnen etwas anbieten – sie sind doch meine Gäste! Aber eine Sache daran ist gut: Eine Party machen ist hier billiger, und als
15 Studenten haben wir natürlich alle nicht viel Geld.

b Notieren Sie passende Überschriften für die Absätze zu „Ihrem" Blog auf einen Zettel und tauschen Sie die Überschriften mit der anderen Gruppe.

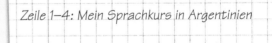

Zeile 1–4: Mein Sprachkurs in Argentinien

c Lesen Sie den anderen Blogeintrag mit den Überschriften von der anderen Gruppe.

> **Texte strukturieren**
> Lesen Sie Texte in Abschnitten und finden Sie passende Überschriften oder fassen Sie den Inhalt kurz zusammen.

d Sprechen Sie zu viert. Welchen Blogeintrag haben Sie leichter verstanden? Den ohne Überschriften oder den mit Überschriften?

12 Ihre Erfahrungen. Schreiben Sie einen eigenen kurzen Blogeintrag über einen Aufenthalt im Ausland oder an einem anderen Ort. Verwenden Sie die drei Überschriften.

Die Überraschung   Nicht so toll!   Super!

Der Film

13 **a** Post für mich? Auf welche Post wartet man ungeduldig? Warum? Sammeln Sie.

Brief von einem Freund / einer Freundin   *Reiseunterlagen*

b Sehen Sie Szene 7. Welche Post bekommt Bea? Warum freut sie sich?

4.7

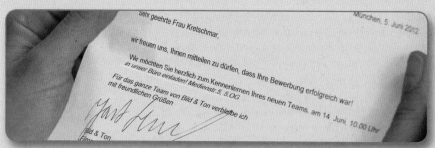

Sehr geehrte Frau Kretschmar,

wir freuen uns, Ihnen mitteilen zu dürfen, dass Ihre Bewerbung erfolgreich war!
Wir möchten Sie herzlich zum Kennenlernen Ihres neuen Teams, am 14. Juni, 10.00 Uhr in unser Büro einladen! Medienstr. 5, 5. OG
Für das ganze Team von Bild & Ton verbleibe ich mit freundlichen Grüßen

München, 5. Juni 2012

c Wen ruft Bea an? Was erzählt Bea? Schreiben Sie zu zweit einen Dialog und spielen Sie das Telefongespräch.

14 **a** Überraschung. Sehen Sie Szene 8 ohne Ton. Was sagen die Kollegen, was sagt Bea? Arbeiten Sie zu viert. Jeder wählt eine Person. Machen Sie Notizen.

4.8

b Sehen Sie noch einmal die Szene ohne Ton und sprechen Sie mit Ihrer Gruppe für die Personen im Film. Sehen Sie dann die Szene mit Ton und vergleichen Sie mit Ihrem Gespräch.

4.8

15 **a** Ein Wochenende in Kiel. Sehen Sie Szene 9. Welche Aussagen sind richtig?

4.9

                                                         richtig   falsch

1. Felix bekommt einen Anruf von seinem Freund Jens. ☐ ☐
2. Jens will mit Freunden zur Kieler Woche fahren. ☐ ☐
3. Die Freunde fahren am Freitag los und kommen am Sonntag wieder. ☐ ☐
4. Es ist noch ein Platz im Auto frei. ☐ ☐
5. Felix will unbedingt mitfahren. ☐ ☐

b Sehen Sie die Fotos von Kiel und der Kieler Woche an. Schreiben Sie zu jedem Foto ein bis zwei Sätze. Nutzen Sie auch die Informationen aus Aufgabe 6.

> *Auf Foto 1 sieht man einen Markt und viele ...*

c Sie fahren für ein Wochenende nach Kiel. Sie möchten einen Freund / eine Freundin mitnehmen. Schreiben Sie ihm/ihr eine E-Mail.

Kurz und klar

sich bedanken

Danke! Danke schön! Danke sehr! Herzlichen Dank!
Herzlichen Dank für die Glückwünsche und Geschenke zu unserer Hochzeit / zu meinem Geburtstag / zu ...
Tausend Dank für die Einladung zu ...

Glückwünsche aussprechen

Wir wünschen Dir/Euch alles Liebe/Gute zu Eurer Hochzeit / zu Deinem Geburtstag / zu ...
Wir wünschen Dir/Euch eine sehr schöne Feier!
Wir gratulieren Dir/Euch sehr herzlich und wünschen Dir/Euch alles Liebe zu ...
(Herzlichen) Glückwunsch! / Alles Gute! / Viel Glück zur Hochzeit! / zum Geburtstag! / zu ...
Für die Zukunft wünschen wir / wünsche ich Dir/Euch alles Glück der Welt.
Wir wünschen Dir/Euch, dass es Dir/Euch immer gut geht und dass Du glücklich bist. / Ihr glücklich seid.

über Emotionen sprechen

Ich bin (un)glücklich/nervös/traurig/sauer, wenn ...   Wenn ..., freue ich mich.
Für mich ist es schön/traurig/aufregend, wenn ...   Wenn ..., habe ich Angst.
Ich finde es schön/schade, wenn ...

Freude ausdrücken

Das ist ja toll! Wie schön!
Da freue ich mich (total).
Da hast du aber Glück gehabt.

Bedauern ausdrücken

Das tut mir leid.
So ein Pech!
Das macht doch nichts.

Grammatik

Nebensatz mit *wenn*

Hauptsatz			Nebensatz mit *wenn*		
Ich	bin	glücklich,	**wenn**	ich eine Prüfung	**bestehe.**
Ich	freue	mich,	**wenn**	meine Freundin	**anruft.**
Ich	ärgere	mich,	**wenn**	ich zu viel	lernen **muss.**
	Verb				Satzende: Verb

Nebensatz mit *wenn*				Hauptsatz	
Wenn	das Wetter immer schlecht	**ist,**	(dann)	**bin**	ich unglücklich.
Wenn	meine Freundin	**anruft,**	(dann)	**freue**	ich mich.
Wenn	ich zu viel	**arbeiten muss,**	(dann)	**ärgere**	ich mich.

Adjektive nach dem bestimmten Artikel

	maskulin	neutrum	feminin	Plural
Nominativ	der schön**e** Hafen	das groß**e** Feuerwerk	die bekannt**e** Kieler Woche	die verschieden**en** Musikstile
Akkusativ	den alt**en** Hafen	das toll**e** Konzert	die bekannt**e** Kieler Woche	die norddeutsch**en** Musikfans
Dativ	auf dem bunt**en** Markt	auf dem toll**en** Konzert	aus der ganz**en** Welt	auf den klein**en** Schiffen

1

C Ilse Schmidt, Lehrerin

Was machen Sie beruflich?

A –5 *Ja, so ist die Seite sehr schön – vielleicht muss das Foto hier noch ein bisschen größer sein.*

4 **B** *Wo ist denn der Hammer?*

2

Uta Dengner, Anwältin
die→   der Anwalt   D

(i) **C** *Bis zum nächsten Mal macht ihr bitte die Aufgaben 5 bis 7 im Arbeitsbuch.*

(a-throw-away word)

D *Sie haben also Ärger mit Ihrem Vermieter. Erzählen Sie mal, seit wann haben Sie denn das Problem?*

(2)

Owner / Landlord

└Tell

3

Florian Raasch, Friseur

French word

E

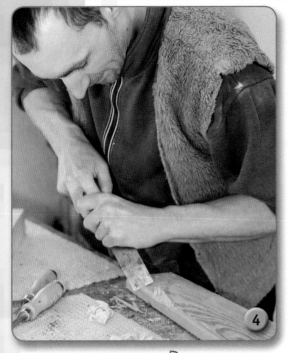

4

Michael Karstner, Tischler *B*

hairdryer

E *Also, waschen, schneiden und föhnen.
Möchten Sie auch eine Tönung?* (3)
color

5

Andreas Pfeiler, Grafiker (A)

1

a **Berufe. Sehen Sie die Fotos an. Welcher Satz passt zu welchem Beruf? Ordnen Sie zu.**

 b **Hören Sie. Welcher Beruf ist das? Notieren Sie den Beruf und typische** *activities of the job* **Tätigkeiten.**
1.47 **Ergänzen Sie weitere Dinge. Benutzen Sie das Wörterbuch.**

scissors   *comb*

Beruf	typische Tätigkeiten	typische Dinge
Friseur	föhnen, ... *shampoo*	die Schere, der Kamm, ...
Ernährungswissenschaftler	*spezialität menü plannen für ~~kra~~ patient; denke, kochen, interview machen*	*Komputer, papier, stift*
Anwältin	*Denke; interview machen; (solution)*	" " , *Law Books*

c **Arbeiten Sie zu viert. Verteilen Sie in Ihrer Gruppe die anderen Berufe aus 1a. Jeder macht eine weitere Tabelle wie in 1b.**

*die Lösung   analysieren
die Vorschläge / der Vorschlag*

d **Und Ihr Beruf (oder Traumberuf)? Notieren Sie typische Tätigkeiten und Dinge. Vergleichen Sie im Kurs.**

2

Sammeln Sie im Kurs weitere Berufe an der Tafel. Wählen Sie einen Beruf und machen Sie eine typische Handbewegung. Die anderen raten den Beruf.

french
*Chemie Ingenieur || search= forchen || Komputer
                    calculus, mathe || Rechner = calculator*

Auf Geschäftsreise   ← *business trip*

3

🔘 1.48

a **Hören Sie den Dialog. Wo sind David und Andreas?**
Was wollen sie machen?

Reisezentrum

eine Fahrkarte kaufen

David und Andreas sind …

🔘 1.48

b **Hören Sie den Dialog noch einmal und ergänzen Sie die SMS.** *text*

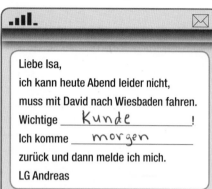

sauer
Handy

> Liebe Isa,
> ich kann heute Abend leider nicht,
> muss mit David nach Wiesbaden fahren.
> Wichtige ___Kunde___ !
> Ich komme ___morgen___
> zurück und dann melde ich mich.
> LG Andreas

c **Warum hat Andreas Pfeiler die Fahrkarten nicht im Internet gekauft?**

sales window

🔘 1.49

Wortschatz
AB

🎞 5.10

11:33

d **Fahrkarten kaufen. Hören Sie das Gespräch am Schalter.**
Richtig oder falsch? Kreuzen Sie an und korrigieren Sie die falschen Sätze.

		r	f	
1.	David und Andreas wollen Fahrkarten für die Hin- und Rückfahrt kaufen.	☒	☐	_____
2.	Sie müssen heute in Mainz umsteigen. *to change*	☐	☒	MaNHeim
3.	In Wiesbaden kommen sie um kurz nach halb zwölf an. ?	☒	☐	_____
4.	David und Andreas reservieren Plätze im Abteil. *yes - 2nd.*	☐	☒	in gross raum wagen
5.	Sie besitzen keine Bahncard.	☒	☒	€

∟ discount card for zug

4

🚪

a **Mit dem Zug nach … Wählen Sie mit Ihrem Partner / Ihrer Partnerin zwei Orte in Deutschland, Österreich oder der Schweiz. Recherchieren Sie eine Zugverbindung und den Preis.**

b **Am Fahrkartenschalter. Schreiben Sie einen Dialog. Verwenden Sie die Informationen aus 4a. Spielen Sie Ihren Dialog im Kurs vor.**

round trip   *answer*

Fahrgast
Eine Fahrkarte nach …, bitte. • Ich brauche eine Auskunft. • Wann fährt der nächste Zug nach …? •
1 way — Einfach. / Hin und zurück. • Muss ich umsteigen? • Wann komme ich in … an? • Was kostet eine
Fahrkarte nach …? • Ich möchte einen Platz reservieren. • Im Abteil/Großraumwagen, bitte.

Bahn-Mitarbeiter
Wann möchten Sie fahren? • Der nächste Zug fährt um … von Gleis … • Einfach oder hin und zurück? •
Sie müssen in … umsteigen. • Der Zug fährt direkt nach … • Möchten Sie erster oder zweiter Klasse
fahren? • Möchten Sie einen Platz reservieren? • Wo möchten Sie sitzen? Abteil oder Großraumwagen?
aisle *der* Gang oder Fenster? • Haben Sie eine Bahncard?

ein / steigen - in
um / ·· - change
aus / ·· - exit

enjoy! → her∙ein
verb — Imperativ.

Das Abend-Programm

5

a Der Abend in Wiesbaden. Lesen Sie die Anzeigen auf der Stadt-Homepage. Was für Angebote gibt es? Ordnen Sie zu.

Essen + Trinken: **B**   Sport: **C**   Theater: **D**   Konzert: **A**

---

www.wiesbaden.de

Roger Cicero
live mit einer tollen Show **am 09. März**
um 20 Uhr im Musikhaus
Genießen Sie ein großartiges Musikereignis
mit einem wunderbaren Sänger!
Tickets unter 0611–33885000 oder
www.musikhaus.de   **A**

Bella Vista
Sie suchen ein elegantes Restaurant und
eine entspannte Atmosphäre für einen schönen
Abend? Dann sind Sie bei uns genau richtig.
Bella Vista am Luisenplatz 45
Reservierungen unter 0611–9994401   **B**

Wiesbaden
eine vielseitige
und sehenswerte Stadt

Hier finden Sie interessante
Informationen über unsere
schöne Stadt.

Fit plus – ein modernes Studio
mit günstigen Preisen!
Machen Sie sich **fit für den
Frühling**. Professionelle Trainer
erwarten Sie!
Nerostraße 17a • 0611–8931389   **C**

Ein bekannter Klassiker mit einem
aktuellen Thema!
**Friedrich Dürrenmatt: „Der Besuch
der alten Dame"**
Täglich 20 Uhr, Tickets 10 Euro,
Ermäßigung für Senioren   *discount*
Theater Kulturpur • 0611–30020129 **D**

---

b Hören Sie den Dialog. Was möchte David machen, was Andreas? Wofür entscheiden sich die zwei? Notieren und berichten Sie.

1.50

David	Andreas
Theater, …	

c Adjektivdeklination. Lesen Sie die Texte in Aufgabe 5a noch einmal und ergänzen Sie die Endungen.

Adjektive nach dem unbestimmten Artikel

	maskulin	neutrum	feminin	Plural
Nom.	ein bekannt**er** Klassiker	ein modern**es** Studio	eine vielseitig**e** Stadt	professionell**e** Trainer
Akk.	einen schön**en** Abend (für)	ein elegant**es** Restaurant (suchen)	eine entspannt**e** Atmosphäre (suchen)	interessant**e** Informationen
Dat.	einem wunderbar**en** Sänger (mit)	einem aktuell**en** Thema (mit)	einer toll**en** Show (mit)	günstig**en** Preisen (mit)

Adjektiv-Endungen
Die Adjektiv-Endung *-en* ist nach dem bestimmten und unbestimmten Artikel häufig.

frequent — häufig

6

Was gibt es an Ihrem Kursort? Fragen und antworten Sie.

AKK   Ich suche … •
Kannst du mir …
T+AKK   empfehlen?
AKK   Gibt es hier …? •
AKK   Kennst du …?

gut • interessant • schön • groß •
gemütlich • toll • bekannt •
modern • fantastisch • elegant •
hübsch • verrückt • …
very pretty   crazy

das Restaurant • das Café •
das Konzert • das Museum • das Kino •
das Theater • die Kneipe • der Biergarten •
der Park • die Ausstellung •
die Sehenswürdigkeit • …   *[sightseeing…]*

Kannst du mir eine interessante Ausstellung empfehlen?   *Ja, im Kunstmuseum …*

known
Sally/Fussball "…ist mir bekannt"

Der Traumberuf?

dream job

7

a Arbeiten Sie zu zweit. Jeder liest einen Text. Markieren Sie im Text Informationen zu Name, Ausbildung und beruflichen Tätigkeiten. Schreiben Sie die Informationen in die Tabelle.

training (nicht Studium)   *elements of job*

Name	Ausbildung	berufliche Tätigkeiten	Grund für den Berufswechsel
Christina	Ausbildung zur Industriekauffrau	kreativ; sie macht aus antiken M. Schmuckstüke	- plötzlich arbeitslos; - Job als Industriekauffrau gefällt ihr nicht mehr
Markus	Herzchirurgen	Freiheit; viele Orte & Personen besucht;	

office   *furniture: Tisch, Schrank, Stuhl*   *Spital – Austria Kranken*

Vom Büro in die Möbelwerkstatt

Nach ihrer Ausbildung zur Industriekauffrau hat Christina Bohnsack 17 Jahre bei einem Elektrokonzern gearbeitet – dann wurde sie plötzlich arbeitslos. Was konnte sie ohne ihre Arbeit tun?
Aber dann hatte sie eine Idee: Alte Möbel neu gestalten.
Sie hat ein Praktikum in einer Tischlerei gemacht und dann die Firma Siesen.de gegründet.
Jetzt macht sie aus antiken Möbeln liebevolle Schmuckstücke für große und kleine Leute. Die Arbeit in der kleinen Werkstatt gefällt ihr viel besser als die Arbeit im Büro. Hier kann sie kreativ sein. Und wenn ihre kleine Firma nicht genug Geld bringt? „Ich werde jetzt 40 Jahre alt. Zurück in meinen alten Job als Industriekauffrau kann ich immer. Aber dann habe ich wenigstens meinen Traum gelebt. Das kann mir keiner mehr nehmen."

design

jewelry

Vom Operationssaal auf die Autobahn

Markus Studer hat in Zürich Medizin studiert. Am Universitätsspital Zürich und an der University of Alabama at Birmingham (Alabama, USA) hat er seine Ausbildung zum Herzchirurgen gemacht. Später ist er Oberarzt der Herzchirurgie am Universitätsspital Zürich und Leiter eines Herzzentrums geworden.

chief

Nach 25 Jahren als erfolgreicher Herzchirurg hat Dr. Markus Studer den weißen Arztkittel gegen einen blauen Overall getauscht: Er ist Fernfahrer geworden und hat sich einen Traum erfüllt. Er verdient in seinem neuen Beruf wenig, aber er hat seine Entscheidung nie bereut. Er liebt die Freiheit auf der Straße und kommt mit seinem Lastwagen an sehr viele Orte. „Für mich war immer schon klar, dass ich auf dem Höhepunkt meiner Karriere aufhören möchte und etwas anderes mache."

doctor coat   *truck*   *regret*   *big truck*

b Stellen Sie Ihrem Partner / Ihrer Partnerin „Ihre" Person vor. Er/Sie hört zu und ergänzt die Tabelle.

> **Präpositionen:**
> *ohne* + Akkusativ, *mit* + Dativ
>
> Was konnte sie **ohne** ihre Arbeit tun?
> **Mit** ihrer Idee will sie Geld verdienen.

c Sprechen Sie zu zweit über die beiden Personen. Was sind Parallelen, was sind Gegensätze?

Christina Bohnsack wurde arbeitslos.
Aber Markus Studer hat seinen Beruf als Herzchirurg …

8

a Das Verb *werden*. Unterstreichen Sie die Formen von *werden* in den Texten von Aufgabe 7a und ergänzen Sie die Sätze im Kasten. Vergleichen Sie mit Ihrer Sprache.

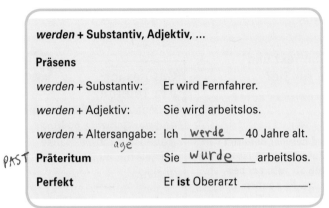

werden + Substantiv, Adjektiv, ...

Präsens

werden + Substantiv: Er wird Fernfahrer.

werden + Adjektiv: Sie wird arbeitslos.

werden + Altersangabe: Ich __werde__ 40 Jahre alt.
age

PAST **Präteritum**   Sie __wurde__ arbeitslos.

Perfekt   Er **ist** Oberarzt _____.

Ihre Sprache

He becomes a truckdriver.
She becomes without a job.
_____

becomes; get; grow
↗
Präsens

werden

ich werde   wir werd**en**
du wirst   ihr werd**et**
er/es/sie wird   sie/Sie werd**en**

b Schreiben Sie zwei Sätze im Präsens, zwei im Präteritum und zwei im Perfekt.

ich		23 Jahre alt
du✓		krank ⌐
er/es/sie		bekannt
wir ⌐	werden	Arzt/Ärztin
ihr		Fernfahrer/-in
sie		gesund
Sie		Schauspieler/in

Sie wird bekannt.
Er ist 23 Jahre alt geworden.

c Und Sie? Welche Berufswünsche hatten und haben Sie? Spielen Sie. Würfeln Sie zweimal. Sie würfeln 1 und 5 → 15. Sie würfeln 5 und 1 → 51. Usw.

 *Mit 15 wollte ich …*   *Mit 21 wurde ich …*   *Mit 51 will ich …*

9

a Was ist Ihr Traumberuf? Und warum? Recherchieren Sie Informationen zu den vier folgenden Aspekten. Schreiben Sie einen Text über Ihren Traumberuf.

Ausbildung   Arbeitsort   Tätigkeiten   Arbeitszeiten

Ich wollte schon immer Tiertrainer werden.
Ich finde den Beruf toll, weil …

b Hängen Sie die Texte im Kursraum auf. Wählen Sie einen interessanten Text. Wer hat ihn geschrieben? Sprechen Sie mit dem Autor / der Autorin.

5.11

10

1.51

a *m* oder *n*? Was hören Sie am Wortende? Stellen Sie sich hintereinander auf. Sie hören *m*: Machen Sie einen Schritt nach vorn. Sie hören *n*: Machen Sie einen Schritt nach hinten.

1.52

b Hören Sie und ergänzen Sie. Sprechen Sie dann die Sätze.

1. I___ ihre___ Haus macht Frau Bohnsack aus alte___ Möbel___ neues Design mit viele___ Farbe___.

2. Mit seine___ neue___ Lkw fährt Markus Studer über die Straße___.

3. Seine___ schöne___ Lkw möchte er nicht mehr gegen de___ alte___ Arztkittel tausche___.

Telefonieren am Arbeitsplatz

11 a Sie müssen ein wichtiges Telefongespräch führen. Was hilft beim Telefonieren? Sammeln Sie Tipps im Kurs.

Fragen vorher notieren

b Lesen Sie den Text. Markieren Sie die Tipps im Text und sammeln Sie im Kurs. Welche Tipps sind neu für Sie?

 1.53

• Erfolgreich telefonieren •

Sie kennen das sicher: Sie müssen telefonieren und sind nervös? Bereiten Sie sich gut vor, dann verläuft das Gespräch besser. Zuerst einmal ist es wichtig, dass Sie in Ruhe telefonieren können. Schalten Sie also am besten das Radio aus und machen Sie Türen und Fenster zu. So können Sie sich besser konzentrieren. Schreiben Sie vorher Ihre Fragen und Themen auf ein Blatt Papier. So vergessen Sie nichts. Gut ist es auch, wenn Sie Stift und Papier bereitlegen. Dann können Sie wichtige Informationen sofort notieren und müssen nicht erst hektisch einen Stift suchen. Sprechen Sie am Telefon klar und deutlich. Und sehr wichtig: Lächeln Sie! Man kann ein Lächeln „hören"!

> **Gut gesagt:**
> **Am Telefon**
> In Deutschland, Österreich und der Schweiz meldet man sich auch zu Hause am Telefon meistens mit Namen.

David Schmidt.

12 a Hören Sie die Gespräche. Was machen die Personen am Telefon gut / nicht so gut? Notieren Sie und vergleichen Sie.

1.54–55

> *Gespräch 1:*
> *– sagt seinen Namen nicht* ⊖

Auf Deutsch telefonieren
Trainieren Sie Telefonieren auf Deutsch so oft wie möglich:
Notieren Sie Fragen und rufen Sie einen Kurspartner / eine Kurspartnerin an.
Sprechen Sie zusammen auf Deutsch.

b Arbeiten Sie zu zweit. Wählen Sie eine Situation und schreiben Sie einen Dialog. Setzen Sie sich Rücken an Rücken und spielen Sie Ihren Dialog.

Anrufer B
Sie rufen bei der Firma „Auto-Müller" an und möchten Frau Weiß sprechen. Aber sie ist nicht da. Sie möchten die Durchwahl von Frau Weiß und sie später direkt anrufen.

Anrufer A
Sie rufen bei der Firma „Media1000" an und möchten Herrn Jeschke sprechen.
Er ist nicht da. Sie möchten, dass Herr Jeschke Sie zurückruft.

Firma A
Herr Jeschke ist bei einem Kunden. Kann der Anrufer / die Anruferin noch einmal anrufen?
Oder möchte er/sie eine Nachricht hinterlassen? Fragen Sie.

Firma B
Frau Weiß ist nicht an ihrem Schreibtisch. Können Sie etwas ausrichten? Fragen Sie.

Anrufer
Kann ich bitte mit Herrn/Frau ... sprechen? /
Können Sie mich bitte mit Herrn/Frau ... verbinden? • Kann ich eine Nachricht für Herrn/Frau ... hinterlassen? • Können Sie mir bitte die Durchwahl geben?

Firma
Herr/Frau ... ist gerade nicht am Platz.
Herr/Frau ... ist außer Haus. • Kann ich etwas ausrichten? / Möchten Sie eine Nachricht hinterlassen? • Können Sie später noch einmal anrufen? • Kann Herr/Frau ... Sie zurückrufen? •
Die Durchwahl ist ...

Wie wir morgen arbeiten

13 **a** Die Arbeitswelt von morgen: Was verändert sich? Sammeln Sie Ideen im Kurs.

b Lesen Sie den Text und ordnen Sie die Überschriften zu.

> Arbeit und Familie • Wann habe ich wirklich frei? • Wer ist hier der Chef?
> • Jobs für kurze Zeit • Arbeiten im Alter • Gut informierte Mitarbeiter

Die Arbeitswelt von morgen

Die Arbeitswelt verändert sich schnell – und dadurch wird das Arbeitsleben für viele Menschen immer komplizierter.
Alte Berufe verschwinden und neue kommen, Wissen wird schnell alt und neue Fähigkeiten werden wichtiger. Gestern hat man ein Leben lang bei einer Firma gearbeitet und heute muss man sich möglichst für mehrere Jobs qualifizieren.

A _____

Ein eigenes Büro gibt es nicht mehr. Schon heute arbeiten viele Leute mobil mit ihrem Laptop. So sind sie für die Firmen immer erreichbar, auch am Wochenende und im Urlaub. Arbeitstage von 9 bis 17 Uhr gibt es immer seltener. Immer mehr Leute bestimmen ihre Arbeits- und Freizeit selbst. Da ist es wichtig, dass man die richtige Balance zwischen Arbeit und Freizeit findet.

B _____

Teamarbeit und Projektarbeit nehmen zu. Besonders wichtig ist auch der Austausch von Wissen. Die Kollegen in Hamburg müssen wissen, was die Kollegen in Los Angeles machen. Ohne Kooperation und Vernetzung geht nichts mehr im Job. Dabei helfen die Netzwerke im Internet, Video- und Telefonkonferenzen. Natürlich braucht jeder eine gute Internetverbindung.

C _____

Starre Hierarchien sind unmodern. Wer betreut gerade ein Projekt? Das ist der Chef. Im nächsten Projekt hat diese Person dann vielleicht eine ganz andere Position. Wichtig ist, dass man gemeinsam zu einem guten Ergebnis kommt.

D _____

Firmen wollen mehr Flexibilität und machen oft nur Verträge für bestimmte Projekte. Lebenslange Arbeitsverhältnisse existieren fast nicht mehr. Damit gibt es aber auch weniger Sicherheit. Nicht jeder kommt damit gut zurecht, aber manche wollen gar keinen festen Job, weil sie ihren Arbeitsalltag selbst gestalten wollen. Sie machen sich freiwillig selbstständig.

E _____

Die Menschen werden älter, bleiben länger gesund und arbeiten länger. Arbeitsplätze und Arbeitszeiten müssen auch für ältere Menschen passen. Lebenslanges Lernen ist also besonders wichtig, wenn man im Job erfolgreich bleiben will.

F _____

Frauen haben eine gute Ausbildung, genauso wie die Männer. Aber die klassische Arbeitsteilung gibt es oft immer noch: Der Mann verdient das Geld, die Frau kümmert sich um die Familie. Familienfreundliche Arbeitszeiten und genug Betreuungsplätze für Kinder sind wichtig, wenn man das Wissen und Können von Frauen nutzen will.

c Arbeiten Sie zu dritt. Jeder wählt zwei Abschnitte. Lesen Sie diese Abschnitte noch einmal und notieren Sie Schlüsselwörter und wichtige Informationen. Tauschen Sie sich mit Ihren Partnern/Partnerinnen über die Texte aus.

Der Film

14 a Ich brauche schnell ein Ticket. Sehen Sie Szene 10 und machen Sie Notizen. Arbeiten Sie zu zweit, Partner A beantwortet die Fragen 1 bis 3, Partner B die Fragen 4 bis 6.

5.10

Was, hat sie nicht!? So ein Mist!

A
1. Wann muss Martin Berg nach Frankfurt fahren?
2. Was braucht Claudia Berg für die Buchung?
3. Wie oft muss Martin Berg umsteigen?

B
4. Warum hat Martin Berg keine Reiseunterlagen?
5. Wann muss er in Frankfurt sein?
6. Wann fährt er zurück?

b Ordnen Sie die Aussagen von Martin Berg. Sehen Sie Szene 10 noch einmal und kontrollieren Sie.

5.10

Claudia Berg

◆ So, zuerst geben wir das Ziel ein: Frankfurt am Main, oder?

◆ Es gibt auch Frankfurt an der Oder!

◆ Okay. Wann willst du fahren?

◆ Ankunft 16.00 Uhr ...

◆ Ähm, nee, alle ICEs fahren direkt nach Frankfurt. Dann kannst du den um 12.50 nehmen, dann bist du um fünf nach vier in Frankfurt.

◆ Gut, erster oder zweiter Klasse?

◆ Und eine Rückfahrt brauchst du auch, oder?

◆ Gut. Soll ich das jetzt buchen?

◆ Dann brauche ich noch deine Bahncard, bitte.

Martin Berg

◆ ____ Äh, ja, gerne.

◆ ____ Also, ich muss nach Frankfurt am Main.

◆ _1_ Oder was?

◆ ____ Das ist okay.

◆ ____ Ich habe eine Bahncard für die zweite Klasse.

◆ ____ Ich muss um vier da sein.

◆ ____ Ja, natürlich! Am nächsten Tag, gegen Mittag...

◆ ____ Muss ich umsteigen?

c Spielen Sie das Gespräch mit Ihrem Partner / Ihrer Partnerin.

15 a Beas Traumjob. Sehen Sie Szene 11. Wer macht das: Iris oder Bea? Ergänzen Sie die Namen.

5.11

1. _____ sucht einen Nebenjob.

2. _____ weiß nicht, ob sie in einem Verlag jobben will.

3. _____ hat drei Monate Praktikum gemacht.

4. Jetzt hat _____ eine Stelle beim Film bekommen.

5. Das ist der Traumberuf von _____.

6. _____ ist Schauspielerin.

7. _____ bekommt eine Wegbeschreibung.

b Möchten Sie beim Film arbeiten? Warum? Warum nicht? Sprechen Sie in Gruppen.

Kurz und klar

ein Gespräch am Fahrkartenschalter führen

Fahrgast

Eine Fahrkarte nach ..., bitte. • Ich brauche eine Auskunft • Wann fährt der nächste Zug nach ...? • Einfach. / Hin und zurück. • Muss ich umsteigen? • Wann komme ich in ... an? • Was kostet eine Fahrkarte nach ...? • Ich möchte einen Platz reservieren. – Im Abteil/Großraumwagen, bitte.

Bahn-Mitarbeiter

Wann möchten Sie fahren? • Der nächste Zug fährt um ... von Gleis ... • Einfach oder hin und zurück? • Sie müssen in ... umsteigen. • Der Zug fährt direkt nach ... • Möchten Sie erster oder zweiter Klasse fahren? • Möchten Sie einen Platz reservieren? • Wo möchten Sie sitzen? Abteil oder Großraumwagen? Gang oder Fenster? • Haben Sie eine Bahncard?

ein Telefongespräch führen

Anrufer

Kann ich bitte mit Herrn/Frau ... sprechen? /
Können Sie mich bitte mit Herrn/Frau ... verbinden?
Kann ich eine Nachricht für Herrn/Frau ...
hinterlassen?
Können Sie mir bitte die Durchwahl geben?

Firma

Herr/Frau ... ist gerade nicht am Platz.
Herr/Frau ... ist außer Haus.
Möchten Sie eine Nachricht hinterlassen? /
Kann ich etwas ausrichten?
Können Sie später noch einmal anrufen?
Kann Herr/Frau ... Sie zurückrufen?
Die Durchwahl ist ...

Grammatik

Adjektive nach dem unbestimmten Artikel

	maskulin	neutrum	feminin	Plural
Nominativ	ein bekannter Klassiker	ein modernes Studio	eine vielseitige Stadt	professionelle Trainer
Akkusativ	einen schönen Abend	ein elegantes Restaurant	eine entspannte Atmosphäre	interessante Informationen
Dativ	einem wunderbaren Sänger	einem aktuellen Thema	einer tollen Show	günstigen Preisen

Adjektive nach *kein/keine/* ... und *mein, dein, ...:*

Im Singular wie nach dem unbestimmten Artikel: Das ist ein/kein/sein schönes Restaurant.
Im Plural wie nach dem bestimmten Artikel: Das sind die/keine/unsere günstigen Preise.

Präpositionen: *ohne* + Akkusativ, *mit* + Dativ

Was konnte sie **ohne** ihre Arbeit tun?
Mit ihrer Idee will sie Geld verdienen.

Das Verb *werden*

Präsens				Präteritum			
ich	werde	wir	werden	ich	wurde	wir	wurden
du	wirst	ihr	werdet	du	wurdest	ihr	wurdet
er/es/sie	wird	sie/Sie	werden	er/es/sie	wurde	sie/Sie	wurden
				Perfekt	Er **ist** Fernfahrer **geworden**.		

Verwendung

Er **wird** Fernfahrer.   Sie **wird** arbeitslos.   Sie **wird** 40 (Jahre alt).

Lernziele

Informationen erfragen
Unsicherheit und Nichtwissen ausdrücken
eine Wegbeschreibung verstehen
  und geben
einen Zeitungsartikel verstehen
die eigene Meinung sagen
über den Weg zur Arbeit sprechen
eine Statistik beschreiben
Informationen über eine Reise verstehen,
  über Reisen sprechen

Grammatik
Nebensatz: indirekte Fragesätze
lokale Präpositionen *an ... vorbei, durch, ...*

Ganz schön mobil

1

a Was haben Tamara und Leon vor? Ordnen und nummerieren Sie die vier SMS.

.ıll. ⊠	.ıll. ⊠	.ıll. ⊠	.ıll. ⊠
Bin bis 6 in der Firma. Fahre dann schnell nach Hause, essen und duschen. Schaffe es locker! ☐	Morgen Abend Konzert in der Philharmonie? Kommst du mit? LG Tamara ☐	Habe die Karten. Treffpunkt heute 19.15 im Foyer. Pünktlich! Bis dann. ☐	Ja, bin gern dabei! Kaufst du die Karten? ☐

Wortschatz
AB

b Sehen Sie die Fotos an. Was ist das Problem?

c Hören Sie Szene 1 bis 6. Welche Szene passt zu welchem Foto?

1.56–61

2

Tamara und Leon im Foyer. Ordnen Sie die Antworten zu und hören Sie dann das Gespräch.

1.62

6.12

1. ◆ Da bist du ja endlich! War so viel Verkehr?

2. ◆ Was hast du gemacht?

3. ◆ Ach so! Und, war er schneller, der andere Weg?

4. ◆ Wo stehst du denn?

5. ◆ Ja, keine Verspätung bei der U-Bahn. Und die Straßenbahn ist auch gleich gekommen. Nur du nicht.

A ◆ Das Navi hat mir einen anderen Weg gesucht.

B ◆ Im Parkhaus. Und bei dir? Hat alles geklappt?

C ◆ Ja, schon. Aber dann hab' ich keinen Parkplatz gefunden.

D ◆ Komm. Jetzt ist es aber Zeit!

E ◆ Ja, total. Und am Isartor war plötzlich ein Stau.

3

Welche Verkehrsmittel benutzen Sie? Was sind die Vor- und Nachteile?   *see notes*

> umsteigen müssen • im Stau / an der Ampel stehen • Verspätung haben •
> lange warten müssen • den Anschluss verpassen • eine Panne haben • billig/teuer sein •
> einen/keinen Fahrplan brauchen • zur Tankstelle müssen • eine Fahrkarte kaufen müssen • lesen können •
> voll sein • alle Plätze besetzt sein • keinen Führerschein brauchen • ...

marco = mex - auto; Uber

Ich fahre meistens mit dem Bus. Das ist praktisch, aber ...

license

Der Zug hat angehalten.
Der Zug steht still.

Unterwegs zu ...

4 **a** **Sehen Sie das Bild an. Was ist hier los? Sprechen Sie mit einem Partner / einer Partnerin.**

abteil = compartment

Kind fragt nach seiner Mutter. DAT

impatient

🔘 1.63

Gut Gesagt!
Sie sind ungeduldig:
Mensch, wann geht es weiter?
Ist das nervig!
Das dauert ja ewig!

Warum steht der Zug?

Wann komme ich in Berlin an?

Wo ist das Kinderabteil?

Wann sind wir bei Mama?

Warum ist der Kaffee kalt?

Wohin kann ich meinen Koffer stellen?

fragt nach ihrem Koffer

DAT
↓
Wonach fragt die Personen?   *Der Man fragt nach dem Kinderabteil.*

b **Was sagt die Frau am Telefon? Ergänzen Sie die Sätze.**

DAT

Der Zug steht schon eine halbe Stunde. So ein Chaos! Alle sind genervt. Ein Mann fragt, warum der Zug steht. Eine Frau will wissen ...

indirect frage | w/ nebensatz

Indirekte Fragesätze: W-Fragen

Mann:	„Warum **steht** der Zug?"
Der Mann fragt,	**warum** der Zug **steht**.
Frau:	„Wann **komme ich** in Berlin **an**?"
Die Frau will wissen,	**wann sie** in Berlin **ankommt**.

1. Eine Frau will wissen,	*wann sie in Berlin ankommt.*
2. Ein Mann mit zwei Kindern fragt,	*wo das Kinderabteil ist.*
3. Das Kind fragt seinen Papa,	*wann Sie bei Mama sind.*
4. Ein Herr fragt ärgerlich,	*warum der Kaffee kalt ist.*
5. Eine Dame weiß nicht,	*.. wohin sie die ihrem Koffer stellen kann.*
	.. wann sie in Berlin ankommt.

5 **Auf Reisen. Spielen Sie zu dritt. Jeder schreibt drei W-Fragen auf verschiedene Zettel. Mischen Sie alle Zettel. Der Erste zieht einen Zettel und liest die Frage vor. Der Zweite stellt die Frage noch einmal, aber indirekt. Der Dritte antwortet und zieht dann den nächsten Zettel.**

Wo ist der Bahnhof?

Können Sie mir sagen, wo der Bahnhof ist?

Das weiß ich leider nicht.

Können Sie mir sagen, ...?
Entschuldigung, wissen Sie, ...?
Ich bin nicht sicher, ...
Wissen Sie, ...?
Ich weiß nicht, ...

! **Höflich fragen** Indirekte Fragen sind höflicher als direkte Fragen.

Schnell zum Ziel

ad

6 **a** **Lesen Sie die Werbung und die Nachrichten. Sind die Aussagen 1 bis 5 richtig oder falsch?**

> ### Fahren ohne Stress? Geht das überhaupt? – Klar geht das, mit WoSama!
>
> Wir nehmen Ihnen Ihre Sorgen ab. Sie wissen immer, wo Sie fahren müssen und wie der Verkehr auf Ihrer Strecke ist. Mit WoSama sind Sie immer topaktuell informiert: Ziel eingeben und stressfrei ankommen. Das erfolgreiche Navigationssystem gibt es jetzt auch als Verkehrsapp. Einfache Bedienung! → → →   www.WoSama.com/apps   ← ← ←

Hi Tom! Du hast doch WoSama. Ist das Navi wirklich so einfach? Du kennst mich ;-)) Ich muss übermorgen nach Flensburg. Danke, Marius. 23. Mai – 12:09	Ja, das passt schon. Willst du nicht lieber die App kaufen? Die bekommst du sofort. 23. Mai – 12:13 *Tom*

Tom, Hilfe, es funktioniert nicht. Kommst du zum Essen und hilfst mir dann? Ist das ein guter Plan ;-)? lg
24. Mai – 13:37 *Marius*

car navig system

	r	f
1. WoSama gibt es nur als Verkehrsapp.	☐	☒
2. Marius möchte wissen, **ob** das **Navi** wirklich so einfach ist.	☒	☐
3. Marius fragt Tom, **ob** er nach Flensburg mitkommt.	☐	☒
4. Tom fragt Marius, **ob** er die App kaufen will.	☒	☐
5. Marius fragt Tom, **ob** er zum Essen kommt.	☒	☐

Er hat recht = he is right.

Willst du die App kaufen? Direct
Kommst du zu Essen? ,,

b **Vergleichen Sie die Fragen in den Nachrichten und in den Aussagen 1 bis 5. Ergänzen Sie.**

> **Indirekte Fragesätze: Ja-/Nein-Fragen mit *ob***
>
> Marius schreibt: „Ist _das Navi w.. so einfach?_" | Marius schreibt: „**Kommst du** zum Essen?"
>
> Marius fragt,   **ob** das Navi wirklich so einfach **ist**. | Marius fragt Tom, _____.

c **Was möchten die Leute wissen? Schreiben Sie indirekte Fragesätze.**
want *to know*

FAQ	▸ Sind die Informationen wirklich aktuell? ▸ Kennt WoSama alle Baustellen? ▸ Muss man das Gerät immer einschalten?	▸ Erkennt WoSama auch kleine Staus? ▸ Sieht man auch alle Radarkameras? ▸ Gibt WoSama meine Daten weiter?

Baustellen – buildings

ob WS auch kl Staus erkennt?

means do they share my information

> *Viele Leute fragen, ob die Informationen … Andere Leute wollen wissen, …*

ausschalten   to turn on

7 **Überlegungen vor einer Reise. Was möchten Sie wissen?**
Was kann passieren? Sprechen Sie in Gruppen.

Wortschatz AB

Ich bin gespannt, ob ich einen Parkplatz finde.

überlegen -(v) reflect on, think over

Ich möchte wissen, … • Ich bin gespannt, … • Ich frage mich (oft), … • Ich weiß nicht/nie, … • Ich mache mir (immer) Sorgen, … • Mich interessiert, … • Ich bin nicht sicher, …	rechtzeitig ankommen • viel Verkehr sein • Baustellen und Staus sein • den nächsten Zug/ Bus erreichen • reservieren müssen • einen Parkplatz finden • viel Benzin brauchen • schneller sein mit … • …

So findest du zu mir

8

a Lesen Sie die Mail. Warum hat Lara die Mail geschrieben?

Liebe Pia,
endlich kommst du mich besuchen! Leider kann ich dich nicht abholen, deshalb musst du den Weg
allein finden. Aber keine Angst, es ist ganz einfach! Vom Bahnhof ist es nicht weit, nur ca. 10 Minuten
zu Fuß. Du gehst vom Bahnhof geradeaus bis zum Fluss. Nicht über die Brücke gehen! Geh rechts
den Fluss entlang und dann durch den kleinen Park bis zur Kirche, dann um die Kirche herum und
am Kinderspielplatz vorbei. Danach gehst du rechts in die Hansastraße bis zur Kreuzung, da gehst
du noch mal links in die Ringstraße. Gegenüber der Bäckerei ist Hausnummer 53 und da wohne ich!
Meinen Wohnungsschlüssel bekommst du in der Bäckerei. Die Verkäuferinnen kennen mich gut.
Ich komme um fünf, dann gehen wir zusammen essen. Bist du einverstanden?
Also bis Samstag – ich freue mich schon auf dich!
Lara

b Lesen Sie die Präpositionen im Kasten und die Mail in 8a noch einmal. Markieren Sie diese
Präpositionen mit Substantiv im Text. Ergänzen Sie im Grammatikkasten *Dat.* und *Akk.*

Lokale Präpositionen

mit _____ : an ... vorbei, bis zu ..., gegenüber

mit _____ : durch ..., ... entlang, um ... herum

c Zeichnen Sie den Weg auf dem Stadtplan ein.
Vergleichen Sie mit Ihrem Partner / Ihrer Partnerin.

6.13

d Schreiben Sie zu dem Plan in 8c eine neue Wegbeschreibung. Geben Sie Ihrem Partner /
Ihrer Partnerin die Beschreibung. Er/Sie zeichnet den Weg in den Stadtplan. Sie kontrollieren.

9

a Schwierige Wörter. Markieren Sie die Wortbestandteile und sprechen Sie die Wörter langsam.
Hören Sie zur Kontrolle.

1.64

1. Navigations gerät
2. Kinderspielplatz
3. Zeitungsartikel
4. Verkehrsmittel
5. Wohnungsschlüssel
6. Stadtbesichtigung
7. Sehenswürdigkeit
8. Wegbeschreibung

b Wählen Sie vier Wörter aus und lesen Sie die Wörter erst langsam und dann immer schneller.

Ein Auto für viele

10 a Lesen Sie den Text. Für wen ist Carsharing interessant, für wen nicht?

■ Mein Auto – dein Auto ■

Man braucht kein eigenes Auto und kann immer günstig eines leihen: So funktioniert Carsharing. Angebote gibt es von verschiedenen Anbietern in jeder Stadt. Neu auf dem Markt ist Flinkster – das Angebot der Bahn – mit Stationen in ganz Deutschland.

■ Ist Carsharing etwas für mich?

Carsharing funktioniert ähnlich wie eine Autovermietung, aber ist billiger und flexibler. Ein Privatauto steht im Durchschnitt 23 Stunden täglich. Also können eigentlich auch andere in dieser Zeit mit dem Wagen fahren. Wenn Sie Ihr Auto also nur manchmal brauchen, dann denken auch Sie über dieses Konzept nach. Wenn Sie aber viel fahren oder das Auto für den Weg zur Arbeit brauchen, dann lohnt sich Carsharing nicht. Das eigene Auto oder andere Verkehrsmittel sind in dem Fall billiger.

P
P
N

■ Wie werde ich Mitglied?

Fragen Sie bei dem Anbieter in Ihrer Stadt, wie es genau funktioniert. Wenn Sie Mitglied werden möchten, dann müssen Sie nur einmal einen Vertrag unterschreiben. Manchmal muss man eine kleine Gebühr bezahlen.

P
P/N

sich kümmern um → AKK

■ Wie leihe ich ein Auto?

Als Mitglied können Sie telefonisch oder im Internet 24 Stunden pro Tag einen Wagen mieten – für nur eine Stunde oder auch länger. Wenn Sie fahren, bezahlen Sie die Zeit und die Kilometer. Ansonsten müssen Sie sich um nichts kümmern, also keine Reparaturen, keine Versicherung etc. Außerdem können Sie verschiedene Autos mieten. Sie finden die Autos auf einem Parkplatz in der Nähe Ihrer Wohnung. Es kann natürlich sein, dass Ihr Wunschauto nicht da ist. Dann müssen Sie entweder ein anderes Auto nehmen oder zu einem anderen Parkplatz fahren. Das ist manchmal unpraktisch, aber nicht unmöglich. Die Telefonzentrale hilft Ihnen hier jederzeit weiter.

P/N

P

N

alles andere

b Arbeiten Sie zu zweit. Person A findet Carsharing positiv, B negativ. Unterstreichen Sie im Text „Ihre" Gründe. Machen Sie Notizen und sammeln Sie weitere Gründe.

c Sprechen Sie mit Ihrem Partner / Ihrer Partnerin. Vertreten Sie „Ihre" Meinung aus 10b. Verwenden Sie dabei die Redemittel.

allgemein	positiv	negativ
Ich bin der Meinung, dass …	Ich finde das gut, weil …	Ich bin gegen …, weil …
Ich meine, dass …	… ist sehr interessant.	Ich finde … nicht so gut.
Ich finde, dass …	Ich denke, das ist richtig.	Ich glaube, … funktioniert nicht.
Ich denke, …	Für mich ist … gut/praktisch/…	Für mich ist … schlecht/ unpraktisch/Unsinn/…

Ich finde, dass Carsharing eine tolle Idee ist. Man kann …

Ich glaube, Carsharing funktioniert nicht, weil …

d Was denken Sie wirklich? Ist das Angebot von Stadtteilauto interessant für Sie?

e Gibt es Sharing-Modelle auch bei Ihnen – nicht nur für Autos? Recherchieren Sie auch im Internet.

Der Weg zur Arbeit in D-A-CH

11 a Lesen Sie. Wie kommen die drei Personen zur Arbeit? Welche Verkehrsmittel benutzen sie? Wie lange brauchen sie?

Anna Franze, 34, Grafikerin, Hamburg

Markus Müller, 56, Arzt, Vernay am Neuenburger See

Peter Koch, 22, Student, Wien

Bei mir ist das ganz einfach. Ich fahre immer mit dem Fahrrad. Das dauert eine halbe Stunde und ist viel schneller als mit dem Bus oder der U-Bahn. Außerdem bin ich dann richtig wach und muss nie warten!

Ich wohne auf dem Land und fahre jeden Tag nach Bern, ich pendle also. Ich fahre mit dem Auto zum Bahnhof, das sind 30 Minuten. Dann fahre ich mit dem Zug. Zum Glück ist meine Praxis gleich beim Bahnhof. Die Zugfahrt dauert 40 Minuten.

Ich wohne noch zu Hause und muss täglich zur Uni. Zuerst nehme ich den Bus, dann fahre ich mit der U-Bahn und am Ende noch mit der Straßenbahn. Zusammen dauert das etwa 50 Minuten, manchmal sogar eine Stunde – in eine Richtung!

Verkehrsmittel: _____

Dauer: _____

Verkehrsmittel: _____

Dauer: _____

Verkehrsmittel: _____

Dauer: _____

b Sprechen Sie im Kurs. Wie kommen Sie zum Sprachkurs? Machen Sie eine Kursstatistik. Welches Verkehrsmittel ist am beliebtesten?

Eine Stunde!   *Fünf Minuten zu Fuß!*

c Wie lange brauchen Sie zum Kurs? Machen Sie eine Schlange: Wer braucht am längsten? Er/Sie steht ganz vorn. Wer braucht am kürzesten? Er/Sie steht ganz hinten.

12 a Verkehrsstatistik. Arbeiten Sie zu zweit. Sehen Sie jeweils eine Statistik an und berichten Sie Ihrem Partner / Ihrer Partnerin. Die Ausdrücke in den Kästen helfen Ihnen.

Für den Weg zur Arbeit braucht man ...

Stadt	< 10 Min.	10–20 Min.	20–30 Min.	30–45 Min.	> 45 Min.
Essen	15 %	31 %	22 %	17 %	15 %
Wien	11 %	23 %	32 %	20 %	14 %
Berlin	16 %	21 %	19 %	23 %	21 %

Für den Weg zur Arbeit benutzen ...

Stadt	öffentliche Verkehrsmittel	Fahrrad / zu Fuß	Auto/ Motorrad	andere
Essen	28 %	12 %	58 %	2 %
Wien	53 %	13 %	34 %	0 %
Berlin	43 %	23 %	33 %	1 %

In ... brauchen die meisten / ... Prozent weniger/mehr als ... Minuten zur Arbeit. • Die meisten / Nur wenige brauchen zwischen ... und ... Minuten zur Arbeit. • In ... ist der Weg zur Arbeit im Durchschnitt länger/kürzer als in ...

Die meisten / Nur wenige / ... Prozent fahren mit ... / benutzen ... / gehen zu Fuß. • In ... benutzen viele Leute / ... Prozent ...

b Wie finden Sie das Ergebnis? Sind Sie überrascht? Vergleichen Sie mit Ihren Kursergebnissen aus Aufgabe 11b und c.

Mit dem Fahrrad auf Reisen

13 a Was war Ihre längste Strecke mit dem Fahrrad oder zu Fuß? Erzählen Sie im Kurs.

b Lesen Sie die Information über eine Radiosendung mit Christoph D. Brumme. Worüber hat er ein Buch geschrieben? Was ist besonders? Berichten Sie im Kurs.

SONNTAG

14.03., 14.30–15.00 Uhr

In unserer Sendung „Anders reisen" sprechen wir diese Woche mit Christoph D. Brumme. Er ist Schriftsteller und hat ein Buch über seine Fahrradtour geschrieben: 8353 km mit dem Fahrrad von Berlin über Polen und die Ukraine nach Saratov in Russland und zurück. Von den Eindrücken und Begegnungen mit den Menschen erzählt er in seinem Buch und bei uns im Interview.

Christoph D. Brumme an der Wolga

c Das Interview. Was fragt der Journalist vielleicht? Sammeln Sie im Kurs Fragen.

Wie viele Kilometer sind Sie täglich gefahren?
Wo …?

> **Interviews verstehen**
> Überlegen Sie <u>vor</u> dem Hören von Interviews: Welche Fragen passen zum Thema? Worüber spricht man wahrscheinlich in dieser Situation? Dann verstehen Sie leichter.

d Hören Sie das Interview. Welche Fragen stellt der Journalist? Notieren Sie und vergleichen Sie mit Ihren Fragen aus 13c.
1.65

e Hören Sie noch einmal in Abschnitten. Was finden Sie interessant? Notieren Sie zu jeder Antwort ein bis zwei Stichpunkte und vergleichen Sie im Kurs.
1.65

14 a Vorbereitungen. Was muss man auf so eine lange Fahrradreise mitnehmen? Sammeln Sie im Kurs.

Ein Zelt, …

b Lesen Sie den Anfang von Christoph D. Brummes Buch „Auf einem blauen Elefanten" und vergleichen Sie mit Ihren Dingen aus 14a. Haben Sie etwas vergessen? Oder haben Sie zu viel Gepäck?

„Endlich alle Vorbereitungen abgeschlossen. Die Reise von Berlin an die Wolga kann beginnen. Ich habe weniger Gepäck auf dem Fahrrad als befürchtet. Zwei Taschen am Hinterrad mit Wäsche, Büchern, Werkzeug und Ersatzteilen, außerdem Zelt, Schlafsack und Isomatte. Die Kleidung ist in durchsichtigen Tüten verstaut, für kühle Nächte auch lange Unterwäsche und eine Wollmütze.
In der Lenkertasche sind die Dinge für die höchste Not, der Reisepass, Landkarten, außerdem die Notizbücher. In der Seite steckt griffbereit ein Messer. Kein Kompass. Wozu, weiße Flecken auf der Landkarte hat auch Russland nicht zu bieten."

c Welche Reisen haben Sie schon gemacht oder möchten Sie machen? Erzählen Sie.

Der Film

15 a Zu spät! Sie und Ihr Partner / Ihre Partnerin haben es eilig. Sie müssen in 20 Minuten am Bahnhof sein. Welches Verkehrsmittel nehmen Sie? Warum? Sprechen Sie zu zweit und einigen Sie sich auf ein Verkehrsmittel.

Wir nehmen am besten ..., weil ...   *... ist am schnellsten, weil ...*

b Sehen Sie Szene 12. Wer sagt was? Verbinden Sie.

6.12

1. Bist du fertig?
2. Da bist du ja endlich.
3. Das schaffen wir schon.
4. Ich bin gleich da.
5. Ich muss um Viertel vor eins am Bahnhof sein.
6. Ich ruf besser ein Taxi.
7. Jetzt beruhige dich.
8. Jetzt warte doch, ich bin gleich da.
9. Nette Begrüßung ...
10. Was? Du fährst jetzt erst los?
11. Wo steckst du denn?

c Kommt Herr Berg rechtzeitig zum Bahnhof? Arbeiten Sie zu zweit. Entscheiden Sie sich für „Ja" oder „Nein" und schreiben Sie ein kurzes Ende für die Szene. Spielen Sie dann „Ihre Filmszene" vor.

16 a Der Weg ist ganz einfach. Hören Sie Szene 13 ohne Bild. Nummerieren Sie die Fotos in der richtigen Reihenfolge.

6.13

b Sehen Sie Szene 13 zur Kontrolle.

6.13

c Ihr Partner / Ihre Partnerin sucht den Weg von Ihrer Sprachenschule zum Bahnhof / zum Markt / ... . Schreiben Sie zu zweit den Dialog und spielen Sie ihn vor.

Kurz und klar

← politely

Informationen erfragen

Können Sie mir sagen, ...	ob wir den Zug um 16.24 Uhr erreichen?
Entschuldigung, wissen Sie, ...	wann wir ankommen?
Wissen Sie, ...	warum es nicht weitergeht?
(Entschuldigung,) Ich weiß nicht, ...	wann und wo der Zug abfährt.

Unsicherheit und Nichtwissen ausdrücken

ausdrücken – express; phrase
gespannt = tense; eager to know
erreichen – reach, achieve

Ich bin gespannt, ...	ob ich den Zug noch erreiche.
Ich möchte wissen, ...	ob es Staus gibt.
Mich interessiert, ...	ob ich mit dem Zug oder mit dem Auto schneller bin.
Ich mache mir (immer) Sorgen, ...	ob ich rechtzeitig ankomme.
Ich frage mich oft, ...	ob ich einen Parkplatz finde.
Ich weiß nicht/nie, ...	ob ich einen Platz reservieren muss.
Ich bin nicht sicher, ...	ob wir einen Parkplatz finden.

die eigene Meinung sagen

eigen(adj) – own, typical of

allgemein	positiv	negativ
Ich bin der Meinung, dass ...	Ich finde das gut, weil ...	Ich bin gegen ..., weil ...
Ich meine, dass ...	... ist sehr interessant.	Ich finde ... nicht so gut.
Ich finde, dass ...	Ich denke, das ist richtig.	Ich glaube, ... funktioniert nicht.
Ich denke, ...	Für mich ist ... gut/praktisch/...	Für mich ist ... schlecht/ unpraktisch/Unsinn/...

Grammatik

Indirekte Fragesätze: W-Fragen

Mann: „Warum steht der Zug?"
Frau: „Wann **komme ich** in Berlin **an**?"

Der Mann fragt,	**warum**	der Zug	**steht**.
Eine Frau will wissen,	**wann**	sie in Berlin	**ankommt**.

Indirekte Fragesätze: Ja-/Nein-Fragen mit *ob*

Marius: „Ist das Navi einfach?"
Marius: „Kommst **du** zum Essen?"

Marius fragt,	**ob**	das Navi einfach	**ist**.
Marius fragt Tom,	**ob**	er zum Essen	**kommt**.

Lokale Präpositionen

mit Dativ	**mit Akkusativ**
an ... vorbei, bis zu, gegenüber	durch, ... entlang, um ... herum
Lara geht **bis zum** Fluss.	Sie geht **den** Fluss **entlang**.
Sie geht **am** Spielplatz **vorbei**.	Dann geht sie **durch den** Park.
Das Haus ist **gegenüber der** Bäckerei.	Sie geht **um die** Kirche **herum**.

Wiederholungsspiel

1 **Was sagen Sie da? Spielen Sie in kleinen Gruppen.**

Sie brauchen einen Würfel. Jeder Spieler braucht eine kleine Spielfigur. Alle Spielfiguren stehen auf „Start".

Wer ist am größten? Dieser Spieler beginnt. Er würfelt und löst die Aufgabe:

Richtig? Der Spieler bekommt einen Punkt. Falsch? Kein Punkt.

Der nächste Spieler ist dran.

Sie kommen auf ein Feld mit der Leiter:
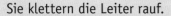

Sie klettern die Leiter rauf.

Sie kommen auf ein Feld mit dem Kopf von der Schlange: Sie gehen zurück zum Schwanz.

Wer ist zuerst im Ziel? Wer hat am meisten Punkte? Es gibt zwei Gewinner.

Ziel

Ein Erlebnis im Ausland. Berichten Sie mit drei Sätzen.

Warum haben Sie nicht angerufen? Warum kommen Sie zu spät?

Antworten Sie mit zwei *weil*-Sätzen.

Wann sind Sie nervös? Wann freuen Sie sich? Antworten Sie mit zwei *wenn*-Sätzen.

Sie stellen einem Freund / einer Freundin zwei Fragen zu seiner/ihrer Stadt:
1. empfehlen können / ein Restaurant / gut
2. kennen / ein Platz / interessant

Kannst du mir …

Was macht ein Friseur? Beschreiben Sie mit drei Sätzen.

Start

Sie haben Geburtstag. Wie feiern Sie? Berichten Sie mit drei Sätzen.

Fest in Ihrer Stadt?
heißt das Fest? Was
n man da machen?

ichten Sie mit drei
zen.

Was hat Frau Miller
gemacht? Bilden Sie
zwei Sätze.

mit 30 Jahren / nicht
mehr / in einer Bank /
arbeiten wollen

studieren / und /
Lehrerin / werden

Sie arbeiten in der Firma
Matt & Co. Sie bekommen
einen Anruf. Der Anrufer
möchte mit Frau Weber
sprechen. Sie ist nicht
da.

Was sagen Sie?

s gibt es in Hamburg?
hten Sie auf die
jektive.
s Rathaus / schön
r Hafen / modern
r Fischmarkt / groß

Es gibt ein ...

Wo waren Sie in Stuttgart?
Machen Sie Sätze und er-
gänzen Sie das Adjektiv:

– in einem Konzert / toll
– in einer Ausstellung /
  interessant
– in einem Theater /
  modern

Ich war in ...

Fragen Sie in
höflicher Form:
Wann fährt der Bus?
Welche Straßenbahn
fährt zum Marktplatz?
Wo ist eine Bank?

Können Sie mir sagen, ...

Sie sind auf einer Party.
Ihr Glas fällt auf den
Boden.

Was sagen Sie?

Sie wollen mit dem Zug
nach Luzern fahren. Was
fragen Sie am Bahnhof?
Nennen Sie drei Fragen.

Ein Freund / eine Freundin
hat eine wichtige Prüfung
bestanden.

Gratulieren Sie.

Sie machen ein Inter-
view. Thema: Der Weg
zur Arbeit / zum Kurs.

Stellen Sie drei Fragen.

e haben
nen schö-
n Film
esehen.
mpfehlen
e den Film
nem Freund
einer Freundin.
as sagen Sie?

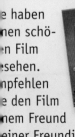

Sie fahren mit dem Auto
und wollen pünktlich
sein. Welche Probleme
gibt es vielleicht?

Nennen Sie drei
Möglichkeiten.

Was macht ein Lehrer /
eine Lehrerin? Beschrei-
ben Sie mit drei Sätzen.

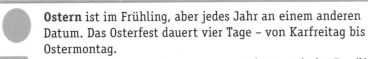

Feste in D-A-CH

2

a Arbeiten Sie in vier Gruppen. Jede Gruppe sieht ein Foto an. Welches Fest ist das? Was wissen Sie schon über das Fest? Sammeln Sie.

b Lesen Sie den Text zu „Ihrem" Foto und sammeln Sie Informationen zu folgenden Fragen. Vergleichen Sie in Ihrer Gruppe.

Wann feiert man das? Wie feiert man das? Mit wem feiert man das?

c Mischen Sie die Gruppen. Berichten Sie in den neuen Gruppen über „Ihr" Fest.

i **Ostern** ist im Frühling, aber jedes Jahr an einem anderen Datum. Das Osterfest dauert vier Tage – von Karfreitag bis Ostermontag.
Man feiert Ostern am Ostersonntag, meistens mit der Familie. Viele gehen in die Kirche, man frühstückt lang und geht spazieren. Bei Kindern ist das Fest besonders beliebt. Der Osterhase kommt und versteckt (Schokoladen-)Eier und kleine Geschenke im Haus und im Garten.

midsummer Annika Lindström   31.12./23:55
Stehe mit Freunden im Stadtpark. Alles bereit: Feuerwerk, Sekt, gute Laune. Danach feiern wir bei Doro weiter – bis zum Morgen. Frohes neues Jahr!

sch@ko Eva Taler   01.01./00:03
Gutes neues Jahr! Wo seid ihr denn? Wir feiern gerade auf der Brücke. Wollt ihr nicht noch kommen?

Lieber Thorsten, Weihnachten ist vorbei und es war toll! Ich feiere doch immer mit meiner Familie, also mit Eltern, Geschwistern, Cousins … . Am 24.12. schmücken wir morgens den Baum, am Abend essen wir schön zusammen, unterhalten uns und singen Weihnachtslieder. Das haben wir auch dieses Jahr gemacht. ABER dieses Jahr haben wir eine Sache mal anders als sonst gemacht: Wir haben uns nichts geschenkt! Also kein Stress im Dezember, keine Einkäufe in der Stadt, nicht viel Geld ausgeben. Der Abend war dann total entspannt. Wie war es denn bei dir?
Melde dich mal!
Corinna

Mein Karneval-Blog ⊠

Dieses Jahr gehe ich als Cowboy. Ich freue mich schon: lange feiern mit meinen Freunden und neue Leute kennenlernen! Nächste Woche geht es wieder richtig los, endlich ist Karneval! Also eigentlich ist es ja schon am 11.11. losgegangen, aber die „wilden Tage" sind immer erst am Ende. Da gibt es bei uns in Köln den Karnevalsumzug und die ganze Stadt macht mit. Bei uns feiern manche Leute 6 Tage ohne Pause! Das schaffe ich nicht (mehr), aber zwei bis drei Tage ...

Übrigens: *Karneval* feiert man im Rheinland und in Mainz. In Süddeutschland und Österreich heißt es *Fasching* und im Südwesten und der Schweiz *Fas(t)nacht*. Es ist die Zeit vom 11.11. bis Februar/März.

3

1.66–69

a Festliche Szenen. Hören Sie. Welche Feste aus Aufgabe 2a finden gerade statt?

	Fest	Ausdruck
Szene 1		
Szene 2		
Szene 3		
Szene 4		

b Ordnen Sie die Ausdrücke den Szenen in Aufgabe 3a zu.

Frohe Weihnachten!   Guten Rutsch! Frohes/Gutes neues Jahr!   Frohe Ostern!   Helau!

c Was ist bei Ihnen anders? Sprechen Sie in der Gruppe.

Silvester feiert man in Russland wie Weihnachten in Deutschland.

4

Welche Feste feiert man bei Ihnen? Machen Sie ein Poster und beschreiben Sie ein Fest. Die Fragen im Kasten helfen Ihnen. Bringen Sie Fotos mit.

Was für ein Fest ist das?	Das Fest heißt ... • Das bedeutet ... • Man feiert ... • Das feiert man schon seit ... Jahren / sehr lang / erst seit einigen Jahren.
Wann feiert man das Fest?	Das Fest feiert man immer im ... / am ... / vom ... bis ... • Die Feier findet im ... / am ... statt. • Man feiert es jedes Jahr.
Wie feiert man? Was sagt man?	Man feiert es mit der Familie / mit Freunden / ... • Alle ziehen sich schön an / kochen gut / ... • Man sagt „Happy New Year!" / ...
Was gefällt Ihnen (nicht)?	Ich finde es (nicht) schön, dass ... • Es gefällt mir (nicht), dass ... • Das finde ich toll.

Arbeitsbuch

Rund ums Essen

1

a Beim Essen. Was passt zusammen? Ordnen Sie zu.

1 _F_ Das schmeckt gut, oder?

2 ____ Oh, das ist lecker. Hast du das gekocht?

3 ____ Hast du Durst? Möchtest du etwas trinken?

4 ____ Warum isst du nichts?

5 ____ Hier riecht es aber gut!

6 ____ Kann ich dir helfen?

A Ach, ich habe keinen Hunger.

B Ja, du kannst den Tisch decken.

C Danke, möchtest du probieren?

D Ja, kann ich eine Cola haben?

E Ja, möchtest du das Rezept haben?

F Ich finde es ein bisschen zu salzig.

Wortschatz **b Was schmeckt so? Notieren Sie jeweils ein Substantiv. Das Wörterbuch hilft.**

süß	sauer	scharf	fett	salzig	bitter

der Kuchen _____ _____ _____ _____ _____

c Arbeiten Sie zu zweit. Jeder wählt einen Text. Was steht in Ihrem Text? Informieren Sie Ihren Partner / Ihre Partnerin.

A

Für den schnellen Hunger gibt es die Currywurst – eine Grillwurst aus Schweinefleisch und Rindfleisch mit Ketchup und Curry. Die typischen Beilagen sind Brötchen oder Pommes frites. Als Imbiss zwischendurch ist die Currywurst sehr beliebt. In Berlin, der Geburtsstadt der Currywurst, gibt es sogar ein Currywurst-Museum (www.currywurstmuseum.de). Aber auch eine andere Spezialität ist sehr beliebt: der Döner. Es gibt in Deutschland über 16.000 Döner-Buden.

Die Deutschen lieben ihr Brot und essen es besonders gern zum Frühstück oder Abendessen, mit Butter und Marmelade, Käse oder Wurst. Pro Jahr isst jeder Deutsche im Durchschnitt 84 Kilo Brot. Viele Leute essen gern Vollkornbrot, weil sie glauben, dass es besonders gesund ist. Es gibt heute über 300 verschiedene Brotsorten und über 2000 verschiedene Brotspezialitäten. Jede Region hat ihre eigenen Spezialitäten, in Bayern sind zum Beispiel die Brezen (Brezeln) sehr beliebt.

B

 d Schreiben Sie einen Text über Ihr Lieblingsessen oder eine Spezialität in Ihrem Land.

Im Kochkurs

2

a Sie möchten eine Kartoffelsuppe kochen. Was müssen Sie machen? Ordnen Sie.

☐ die Suppe salzen

☐ die Kartoffeln und Karotten schälen

☐ Würstchen in die Suppe geben

☐ die Kartoffeln und Karotten schneiden

☐ das Gemüse ins Wasser geben

[1] die Kartoffeln und Karotten waschen

☐ das Gemüse im Wasser kochen

b Possessivartikel im Dativ. Was ist richtig? Kreuzen Sie an.

1. Marco macht mit seine ☐ seiner ☑ seinem ☐ Freundin einen Kochkurs.

2. Ich finde, das Essen schmeckt bei eurer ☑ eurem ☐ eure ☐ Großmutter besonders gut.

3. Laura will ihr ☐ ihren ☐ ihrem ☑ Freund beim Kochen helfen.

4. Milena will mit ihren ☑ ihre ☐ ihrem ☐ Kindern zusammen kochen.

5. Cem backt gern in sein ☐ seiner ☑ seine ☐ Küche.

6. Am Wochenende isst Tina immer bei ihre ☐ ihren ☑ ihrer ☐ Tante.

c Possessivartikel im Dativ. Ergänzen Sie.

1. ◆ Wo ist denn Laura?
   ◆ Die ist mit _ihrem_ Freund bei einem Kochkurs.

2. ◆ Frühstückst du immer mit _deiner_ Familie?
   ◆ Nein, nur am Wochenende.

3. ◆ Kommt ihr mit _euren_ Kindern zum Abendessen oder allein?
   ◆ Wir kommen alle zusammen! Ist das okay?

4. ◆ Florian fährt morgen zu _seinen_ Eltern und ich bin am Wochenende allein.
   ◆ Dann komm doch zu mir und wir machen Pizza.

5. ◆ Ist das dein Kochbuch?
   ◆ Nein, das gehört _meinem_ Bruder.

6. ◆ Möchten Sie zu ~~deinem~~ _ihrem_ Steak auch Kartoffeln?
   ◆ Nein, nur einen Salat, danke.

3

a Bilden Sie Sätze oder Fragen.

einen Kurs machen mit	mein- unser-	Freundin
ein Rezept kochen aus	dein- eur-	Kinder
fotografieren lernen von	sein- ihr-/Ihr-	Kochbuch
zu Abend essen bei	ihr-	Großeltern
ins Restaurant gehen mit		Onkel
tanzen mit		Cousine

Machst du einen Kurs mit deiner ...?

Möchtest du bei meinem Freunden essen
            mit
(with)

Machst du ~~foto~~ von deinen Onkel fotog lernen?

Möchtest du mit deinen Freunden tanzen.
Tanzt du " " Freunden.

1

b **Possessivartikel im Nominativ, Akkusativ und Dativ. Ergänzen Sie die Dialoge.**

1. ◆ Sagt mal, wie war denn e*uer* (1) Kochkurs?

   ◆ Super, u_____ (2) Kursleiter war sehr nett und wir haben wirklich viel gelernt.

2. ◆ Sie möchten sich für den Kurs anmelden? Dann schreiben Sie bitte I_____ (3) Namen und

   I_____ (4) Adresse auf das Formular.

   ◆ Kann ich vielleicht I_____ (5) Stift haben?

3. ◆ Früher haben m_____ (6) Bruder und ich am Samstag immer mit u_____ (7) Vater

   im Park hinter u_____ (8) Haus Fußball gespielt.

   ◆ Warum nicht im Garten hinter e_____ (9) Haus?

   ◆ Ach, im Park hatten wir mehr Platz. Im Garten hatte u_____ (10) Mutter

   i_____ (11) Blumen.

   ◆ Und? Spielst du heute auch noch mit d_____ (12) Bruder Fußball?

   ◆ Nein, aber m_____ (13) Bruder spielt jetzt mit s_____ (14) Kindern.

4. ◆ Von m_____ (15) Freund habe ich Gitarre spielen gelernt. Auf Festen spielen wir oft

   zusammen, das letzte Mal bei m_____ (16) Geburtstag.

   ◆ Oh ja, ich weiß, e_____ (17) Konzert war toll.

   ◆ Wir spielen am Samstag auf einer Abschiedsparty für u_____ (18) Kollegen.

   Kommst du mit d_____ (19) Freunden?

Ich bin durstig.
Ich habe Durst.

4

a **Fragen und Antworten. Was passt zusammen? Ordnen Sie zu.**

1 _C_ Möchtest du nicht probieren?		A Ja, aber ich kann erst um ein Uhr.
D 2 _D_ Hast du keinen Durst?		~~B~~ Ja, gern. Nächsten Monat?
E 3 ~~E~~ Isst du nie Fast Food?		~~C~~ Nein danke, ich mag keinen Fisch.
4 _A_ Kommst du heute mit in die Kantine?		D Doch, und wie! Ich brauche jetzt eine große Cola.
5 _B_ Willst du einen Kochkurs mit mir machen?		E Doch, aber meistens koche ich zu Hause.

b *Ja, doch* oder *nein*? Welche Antwort ist richtig? Kreuzen Sie an.

	◆ Ja,	◆ Doch,	◆ Nein,	
1. ◆ Isst du kein Fleisch?	☐	☐	☑	ich mag kein Fleisch.
2. ◆ Findest du den Koch nicht nett?	☑	☑	☐	er ist sehr sympathisch.
3. ◆ Gehen wir etwas trinken?	☑	☐	☐	gerne. Wohin?
4. ◆ Kommst du morgen nicht zum Kurs?	☐	☐	☑	morgen kann ich nicht.
5. ◆ Der Fisch ist gut, oder?	☑	☑	☐	er schmeckt sehr lecker. *good*
6. ◆ Trinkst du keine Milch?	☑	☑	☐	morgens im Kaffee.
7. ◆ Kannst du kochen?	☑	☐	☐	aber nicht besonders gut.
8. ◆ Macht dir die Übung keinen Spaß?	☑	☑	☐	~~Ja ich~~ ~~habe~~ es macht Spaß

5

Die folgenden Personen sind in Ihrem Sprachkurs. Ihr Freund Kadir kann den Kurs nicht mehr besuchen. Beschreiben Sie ihm die neuen Teilnehmer im Kurs.

- Lara Martinelli, 18
- Italien, Rom
- Studium: Medizin in Triest
- Sprachen: Italienisch, Englisch, Deutsch
- Hobbys: Basketball, Kino, Theater

- Nils Jensen, 25
- Dänemark, Kopenhagen
- Ausbildung: Hotelfachmann
- jetzt: Hotel „Zur Rose", Berlin
- Sprachen: Dänisch, Englisch, Deutsch
- mag: reisen, kochen

- Daria Jalowy, 23
- Polen, Warschau
- Beruf: Dolmetscherin
- Sprachen: Polnisch, Englisch, Spanisch, Deutsch
- Hobbys: Bücher, Bücher, Bücher!

Lieber Kadir,

ich hoffe, es geht dir gut. Du bist ja jetzt nicht mehr im Sprachkurs, sehr schade! Es sind ein paar nette

Leute gekommen, zum Beispiel Lara. Sie kommt aus _____ und _____

_____

_____ .

Nils Jensen ist auch sehr sympathisch. Er _____

_____

_____ .

Ich muss dir auch noch von Daria erzählen. Sie _____

_____

_____ .

Vielleicht kannst du ja alle im August kennenlernen. Du kommst doch wieder, oder?

Mail mir bald!

Viele Grüße

_____

6

1.2

Spricht man *ch* wie in *ich* oder *ch* wie in *acht*? Und wie spricht man *-ig* am Wortende? Markieren Sie in den Sätzen *ch* wie in *ich* und *ch* wie in *acht* unterschiedlich (z. B. in verschiedenen Farben). Lesen Sie die Sätze dann laut. Hören Sie zur Kontrolle.

1. Ich spreche nachher mit dem Koch und berichte dann.
2. Möchtest du mich nach dem Kochkurs besuchen?
3. In der Küche riecht es auch richtig gut.
4. Ich brauche noch Milch für den Kuchen.

Die Verabredung

7

Wortschatz

1.3

a Lisa hat Geburtstag. Sie telefoniert mit einer Freundin und erzählt von der Vorbereitung. Was hat sie schon gemacht? Kreuzen Sie an.

☐ 1 gekocht   ☐ 2 geputzt   ☐ 3 eingekauft   ☐ 4 aufgeräumt

☐ 5 Geschirr gespült   ☐ 6 sich umgezogen   ☐ 7 den Tisch gedeckt   ☐ 8 sich ausgeruht

b Welche Satzteile gehören zusammen? Verbinden Sie.

melden = announce, notify, report

1 _C_ Heute Abend treffe ich   – A uns schnell um.

2 _D_ Warum meldest du   – B sich, es ist schon spät.

3 _E_ Er freut   – C mich mit Freunden.

4 _A_ Vor der Party ziehen wir   – D dich nicht?

5 _F_ Am besten setzt ihr   – E sich schon auf das Treffen.

6 _B_ Die Freunde beeilen   – F euch dort auf das Sofa.

> **Verben mit Reflexivpronomen**
> Reflexivpronomen und
> Personalpronomen im Akkusativ
> sind gleich.
> Du freust **dich**. = Ich sehe **dich**.
> Ausnahme: 3. Person Singular und
> Plural und Anrede „Sie".
> Er freut **sich**. ≠ Ich sehe **ihn**.
> Sie freuen **sich**. ≠ Ich sehe **sie/Sie**.

c Ergänzen Sie das Reflexivpronomen. *supply*

◆ Gestern Abend habe ich _mich_ über Felix geärgert.

◆ Warum? Was hat er gemacht?

◆ Wir wollten _uns_ treffen. Aber Felix hat eine Stunde mit seinem Bruder telefoniert.

Felix & Bruder? → (Sie haben _sich_ schon seit zwei Monaten nicht mehr getroffen.

NETT = nice, enjoyable

◆ Ja und? Das ist doch nett! Aber du hast _dich_ wahrscheinlich gelangweilt?

◆ Das war nicht das Problem, wir wollten *wanted* eigentlich ins Kino. Er hat _sich_ dann beeilt, aber wir waren zu spät.   *— actually (adj) / as a matter of fact (adv)*

◆ Habt ihr _euch_ dann gar nicht getroffen?

◆ Doch, doch. Er hat mich dann zum Essen eingeladen.

◆ Und da hast du _dich_ nicht gefreut?

◆ Doch. Aber den Film habe ich immer noch nicht gesehen. Wollen wir _uns_ heute treffen und ins Kino gehen?

◆ Gern!

Ausnahme = (f) exception
Anrede (f) = address, speech
gleich = (adj) equal, same, even = (adv) right away

(handwritten top) Dee 16 OCT hand out

d Ergänzen Sie die Verben und Reflexivpronomen in Lisas Mail. Achten Sie auch auf die Zeit – Präsens oder Perfekt?

> sich ärgern • sich treffen • ~~sich melden~~ • sich langweilen •
> sich ausruhen • sich umziehen • sich beeilen • (sich unterhalten) *untrenbar*

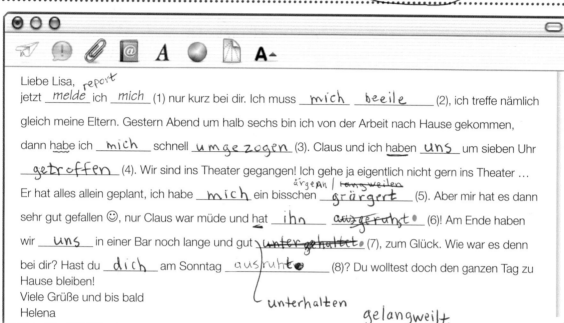

Liebe Lisa, *report*
jetzt _melde_ ich _mich_ (1) nur kurz bei dir. Ich muss _mich beeile_ (2), ich treffe nämlich

gleich meine Eltern. Gestern Abend um halb sechs bin ich von der Arbeit nach Hause gekommen,

dann habe ich _mich_ schnell _umgezogen_ (3). Claus und ich haben _uns_ um sieben Uhr

getroffen (4). Wir sind ins Theater gegangen! Ich gehe ja eigentlich nicht gern ins Theater …

Er hat alles allein geplant, ich habe _mich_ ein bisschen _geärgert_ (5). *ärgern / langweilen* Aber mir hat es dann

sehr gut gefallen ☺, nur Claus war müde und hat _ihn_ _ausgeruht_ (6)! Am Ende haben

wir _uns_ in einer Bar noch lange und gut _unterhalten_ (7), zum Glück. Wie war es denn

bei dir? Hast du _dich_ am Sonntag _ausruhte_ (8)? Du wolltest doch den ganzen Tag zu
Hause bleiben!
Viele Grüße und bis bald
Helena

(handwritten) unterhalten · gelangweilt

8

a Welche Verben sind auch reflexiv? Unterstreichen Sie die reflexiven Verben.

1. tanzen   3. geben   5. ärgern   7. anziehen   9. setzen   11. schlafen
2. beschweren   4. bleiben   6. freuen   8. stehen   10. beeilen

b Schreiben Sie mit vier reflexiven Verben aus 8a je einen Satz über sich.

_____

_____

9

 1.4–6

a Hören Sie die Gespräche. Was passt?

1 Der Mann kommt nicht,
a weil er ins Kino geht.
b weil er einen Termin hat.
c weil er Monika trifft.

2 Vera soll Tina helfen,
a weil Tina krank war.
b weil Vera gut Mathe kann.
c weil Arno keine Zeit hat.

3 Die Frau geht nicht mit,
a weil sie keine Zeit hat.
b weil sie keine Lust hat.
c weil sie keine Schuhe hat.
Wanderschuhe

b Welche Fragen und Antworten passen zusammen?

1 _F_ Warum haben Sie sich verspätet?
2 _E_ Warum beeilen Sie sich so?
3 _A_ Warum haben Sie mich nicht informiert?
4 _D_ Warum treffen sie sich nicht mehr?
5 _B_ Warum ärgert er sich?
6 _C_ Warum freust du dich so?

A Weil ich noch keine Zeit hatte.
B Weil sein Auto kaputt ist.
C Weil ich morgen Geburtstag habe.
D Weil sie sich gestritten haben.
E Weil ich noch einen Termin habe.
F Weil mein Bus nicht gefahren ist.

> **Gesprochene Sprache**
> In der gesprochenen Sprache antwortet man auf Fragen mit *Warum* meistens nur mit dem *weil*-Satz.

c **Wie heißen die Sätze richtig? Korrigieren Sie.**

1. Lisa ruft nicht an, weil ~~kaputt ist ihr Handy.~~ *ihr Handy kaputt ist.* _____ .

2. Sie musste länger arbeiten, weil ~~ist krank ihre Kollegin.~~ _____ .

3. Lisa hat Hunger, weil ~~gemacht keine Pause sie hat.~~ _____ .

4. Ihre Freunde rufen an, weil ~~wollen sie sehen Lisa.~~ *weil sie wollen Lisa sehen wollen,* .

5. Lisa ist müde, weil ~~hat sie gearbeitet viel.~~ *weil sie viel gearbeitet hat.* .

d **Was passt? Ergänzen Sie** *und, aber, oder* **oder** *weil.*

◆ Gehen wir heute schwimmen ___oder___ (1) lieber ins Kino?

◆ Ich möchte gern ins Kino, ___weil___ (2) ich endlich den neuen 3D-Film sehen will.

◆ Dann machen wir das, _____ (3) danach gehen wir noch tanzen.

◆ Ich kann doch nicht tanzen, ___weil___ (4) mein Fuß noch weh tut.

◆ Na gut, dann gehen wir danach in ein Restaurant ___oder___ (5) in eine Kneipe.

◆ Sollen wir uns um sieben ___oder___ (6) um halb acht treffen?

◆ Um halb acht bei dir ___und___ (7) dann fahren wir mit dem Fahrrad.

10 **a** **Wie heißen die Wörter richtig? Bilden Sie jeweils einen Satz mit dem Wort.**

1. M E T U N V R E ＿＿＿＿＿＿＿＿ *Ich ver............, er ist krank.* _____

2. K E E N N D ＿＿＿＿＿＿ _____

3. B L A G U E N ＿＿＿＿＿＿＿ _____

4. C H T E I L L I E V ＿＿＿＿＿＿＿＿＿ _____

b **Warum geht das nicht? Schreiben Sie Sätze.**

1. Lisa möchte einkaufen.

3. Die Frau möchte zahlen.

2. Die Kinder wollen draußen spielen.

4. Die Freunde wollen Fußball spielen.

1. *Lisa kann nicht einkaufen, weil das Geschäft geschlossen ist.* _____

2. _____

3. _____

4. _____

keinen Ball haben • (stark) regnen • das Geschäft geschlossen sein • kein Geld haben

c Was ist passiert? Schreiben Sie zu jedem Foto eine Vermutung und begründen Sie.

11

a Das Abendessen von Maria und Tobias. Bringen Sie den Dialog in die richtige Reihenfolge und hören Sie zur Kontrolle.

1.7

- [ ] ◆ Schön. Ich kann dir helfen. (1)
- [ ] ◆ Der Kühlschrank ist leer. Ich kann leider nichts kochen. (2)
- [ ] ◆ Oh, ich glaube, wir haben ein Problem. (3)
- [ ] ◆ Dann koche ich etwas für uns. (4)
- [ ] ◆ Super. Aber ich zahle! (5)
- [1] ◆ Hast du Hunger, Tobias? (6)
- [ ] ◆ Ich habe eine Idee. Wir rufen den Pizza-Service an. (7)
- [ ] ◆ Ja, eigentlich schon. (8)
- [ ] ◆ Keine Ahnung, das ist mir jetzt echt peinlich. (9)
- [ ] ◆ Was ist los? (10)
- [ ] ◆ Das ist schade. Was machen wir denn da? (11)

b Hören Sie Maria auf der CD. Sprechen Sie die Rolle von Tobias.

1.8

Dunkelrestaurant

12

a Ein Gast berichtet. Lesen Sie den Kommentar und unterstreichen Sie die Unterschiede zu einem normalen Restaurant. Vergleichen Sie mit Ihrem Partner / Ihrer Partnerin.

Also ich war am Wochenende in einem Dunkelrestaurant – das erste Mal! Am Anfang war ich etwas nervös, aber dann hat es Spaß gemacht. Aber irgendwie war vieles anders: Wir mussten schon am Eingang unser Essen auswählen – klar, drinnen sieht man ja nichts. Dann hat uns ein Kellner zum Tisch geführt. Jeder Tisch hat einen eigenen Kellner. Er hilft die ganze Zeit. Oft sind die Kellner blind. Wir haben dann Messer, Löffel und Gabel und die Gläser auf dem Tisch gesucht – und gefunden. Aber wie findet man das Essen auf dem Teller? Ganz einfach: Der Kellner erklärt alles wie auf einer Uhr, also zum Beispiel sind die Kartoffeln auf 12, also ganz oben auf dem Teller. Es war nicht leicht, aber lecker. Man weiß nicht genau, was man isst, und konzentriert sich auf den Geschmack. Sehr spannend! Wir haben natürlich viel über das Essen und die Situation geredet und gelacht.

b Arbeiten Sie zu zweit. Setzen Sie sich an einen leeren Tisch. Eine/r macht die Augen zu, der/die andere legt fünf Sachen auf den Tisch. Dann erklärt er/sie, wo die Sachen liegen. Alle Paare beginnen gleichzeitig. Wer findet die Sachen am schnellsten? Wechseln Sie dann die Rollen.

C Wie heißen die Wörter? Ergänzen Sie und notieren Sie Artikel und Plural. Wie heißt das Lösungswort?

1. _ _ _ _ _ _   *das Messer, die Messer*

2. _ _ _ _ _ _ _

3. _ _ _ _

4. _ _ _ _ _

5. _ _ _ _ _

6. _ _ _ _

7. _ _ _ _ _ _

8. _ _ _ _

9. _ _ _ _ _ _ _

10. _ _ _ _

Lösungswort: _____

Lernen mit allen Sinnen

13 a Lesen Sie die Forumsbeiträge zu „Lernen mit allen Sinnen". Bei welcher Station haben die Personen die Wörter am besten gelernt? Notieren Sie.

Sehen • Fühlen • Riechen • Schmecken • Hören

Lernen mit allen Sinnen	Station
Nicoletta Letzte Woche haben wir im Kurs das Spiel „Lernen mit allen Sinnen" gemacht. Mir haben alle Stationen gut gefallen, weil es spannend war. Vieles habe ich nicht richtig geraten, aber meine Nase funktioniert gut!	_____
Iwona Das war gar nicht einfach. Aber ich esse gern, und deshalb hat mir diese Station gefallen. Ich konnte mir die Wörter gut merken, auch noch nach zwei Wochen. Hören finde ich schwierig, das hat bei mir nicht gut geklappt.	_____
Pierre Die Stationen Hören und Riechen waren lustig. Aber für mich ist Sehen immer sehr wichtig, an der Station konnte ich mir die Wörter gut merken. Fühlen war nichts für mich.	_____

b Schreiben Sie selbst einen Forumsbeitrag wie in 13a.

Station

_____   _____

_____

_____

c Suchen Sie andere Kursteilnehmer mit „Ihrer" Station. Vergleichen Sie Ihre Beiträge.

Das kann ich nach Kapitel 1

R1 Sprechen Sie zu zweit. Jeder stellt eine Person vor.

Marina Meier
Ausbildung: Studium Informatik, Berlin
Beruf/Wohnort: IT-Spezialistin, Bielefeld
Hobbys: Rad fahren, Computerspiele
Sprachen: Deutsch, Englisch

Justus Jakobson
Ausbildung: Studium Sport, Augsburg
Beruf/Wohnort: Fitnesstrainer, Augsburg
Hobbys: Ski fahren, lesen
Sprachen: Deutsch, Englisch, Spanisch

	☺☺	☺	😐	☹	KB	AB
💬✏ Ich kann mich und andere vorstellen.	☐	☐	☐	☐	5c	5

R2 Hören Sie die Geschichte und bringen Sie die Bilder in die richtige Reihenfolge.

1.9

A __  **B** __ **C** __  **D** __

	☺☺	☺	😐	☹	KB	AB
✏🎧 Ich kann Bildgeschichten verstehen und wiedergeben.	☐	☐	☐	☐	7a, 8	7a

R3 Sprechen Sie zu zweit. Jeder wählt eine Karte und stellt die Fragen. Antworten Sie mit *weil*.

A

Warum bist du so müde?
Warum gehst du nicht mit uns ins Kino?
Warum bist du zu spät gekommen?

Warum isst du nichts?
Warum freust du dich so?
Warum trinkst du keinen Kaffee?

B

	☺☺	☺	😐	☹	KB	AB
💬✏ Ich kann etwas begründen.	☐	☐	☐	☐	9–10	9a–d, 10b

Außerdem kann ich	☺☺	☺	😐	☹	KB	AB
🎧 ... Informationen zu Personen verstehen.	☐	☐	☐	☐	2c	
🎧📖 ... Gespräche übers Essen / beim Essen verstehen.	☐	☐	☐	☐	1b, 4a–b	1a, 4a–b
💬 ... über Gefühle sprechen.	☐	☐	☐	☐	9c	
💬 ... ein Restaurant vorstellen.	☐	☐	☐	☐	12d	
📖💬 ... wichtige Informationen aus einem Text weitergeben.	☐	☐	☐	☐		1c
💬✏ ... Fragen zu einem Text beantworten.	☐	☐	☐	☐	12b, c	12a
💬✏ ... Vermutungen äußern.	☐	☐	☐	☐	10a	10b, c
💬✏ ... mich über *Wörter mit allen Sinnen lernen* austauschen.	☐	☐	☐	☐	13	13b, c
✏ ... eine Geschichte zu Bildern schreiben.	☐	☐	☐	☐	8, 11a	

Lernwortschatz Kapitel 1

vor dem Essen

der Durst (Singular) _____

Durst haben _____

der Hunger (Singular) _____

Hunger haben _____

das Geschirr (Singular) _____

das Kochbuch, -bücher _____

die Pfanne, -n _____

das Sieb, -e _____

der Topf, Töpfe _____

decken _____

den Tisch decken _____

schälen _____

die Kartoffeln schälen _____

schneiden _____

spülen _____

Ich muss das Geschirr spülen. _____

waschen _____

das Gemüse waschen _____

beim Essen

die Bohne, -n _____

die Currywurst, -würste _____

die Kantine, -n _____

das Rindfleisch (Singular) _____

die Zitrone, -n _____

auf|essen _____

Er isst nie alles auf. _____

rüber|geben _____

Kannst du mir das Salz rübergeben? _____

_____

bitter _____

fett _____

lecker _____

Das Essen schmeckt lecker. _____

salzig _____

sauer _____

scharf _____

süß _____

eine Verabredung _____

das Fernsehen (Singular) _____

Heute kommt nichts im Fernsehen. _____

_____

sich ärgern _____

sich auf|regen _____

Reg dich nicht auf! _____

sich aus|ruhen _____

sich beeilen _____

sich freuen _____

sich hin|setzen _____

sich langweilen _____

stören _____

Ich will dich nicht stören. _____

sich treffen _____

Wir treffen uns um acht. _____

sich um|ziehen _____

Vor dem Essen zieht er sich um. _____

_____

Dunkeldinner

die Dunkelheit (Singular) _____

der Eindruck, Eindrücke _____

die Erfahrung, -en _____

das Erlebnis, -se _____

der Gedanke, -n _____

der Geruch, Gerüche _____

das Licht, -er _____

das Menü, -s _____

die Sorge, -n _____

benutzen _____

fühlen _____

Was fühlen Sie? _____

führen _____

Der Kellner führt Sie zum Tisch. _____

_____

sich gewöhnen (an) _____

Ich habe mich an die Dunkelheit gewöhnt. _____

_____

blind _____

riechen _____

Das riecht wie eine Zitrone. _____

Lernen mit allen Sinnen

der Gegenstand, Gegenstände _____

der Kleber, – _____

das Parfum/Parfüm, -s _____

der Sinn, -e _____

vor|bereiten _____

andere wichtige Wörter und Wendungen

begründen _____

begrüßen _____

raten _____

rauchen _____

vermuten _____

erlaubt _____

Rauchen ist nicht erlaubt! _____

schwierig _____

traurig _____

doch _____

Kommst du nicht mit? – Doch. _____

_____

egal _____

Das ist mir egal. _____

gemeinsam _____

nachher _____

unterwegs _____

Sie ist noch unterwegs. _____

wichtig für mich

_____

_____

_____

Notieren Sie jeweils mindestens vier Wörter: _(adv) at least_

jeweilig (adj) – under consideration

Das braucht man zum Kochen: _das Sieb,_ _____

Das braucht man zum Essen: _der Löffel,_ _____

So kann etwas schmecken: _süß,_ _____

Das esse ich gern: _die Tomate,_ _____

Beantworten Sie die Fragen mit einem Satz. _answer_

Wann treffen Sie sich mit einem Freund / einer Freundin? _____

Wie haben Sie sich am Wochenende ausgeruht? _____

Wann langweilen Sie sich? _____

Über was haben Sie sich gestern gefreut? _____

2 Nach der Schulzeit

1

Wortschatz

a Ordnen Sie die Wörter und Ausdrücke den Themen zu. Manche Wörter passen bei mehreren Themen. Benutzen Sie auch ein Wörterbuch.

fav subject *end prematurely*

> das Klassentreffen • das Lieblingsfach • die Note • ein Praktikum machen • Grafik studieren •
> das Seminar • der Lehrer • eine Ausbildung abschließen • das Zeugnis • der Altenpfleger •
> der Hotelkaufmann • die Krankenschwester • Elektrotechnik studieren • die Uni • die Klasse •
> die Professorin • die Vorlesung • eine Lehre machen • in die Berufsschule gehen

Univ

lectures

Schule	Ausbildung *if not in univ*	Studium *Univ*	Beruf *JOB*
das Klassentreffen	eine Lehre machen	das Seminar	der Lehrer
das Zeugnis	in die Berufsschule gehen	Elektrotechin	der Altenpfleger *elderly caregiver*
die Klasse		die Proffersorin	Hotel Kaufmann
		die Vorlesung — *always by a Prof.*	Kranken'schw
		das Seminar	

b Wie heißen die Schulfächer in Ihrer oder einer anderen Sprache? Notieren Sie.

Deutsch	Ihre Sprache	andere Sprache
Mathe(matik)		
Physik		
Chemie		
Biologie		
Geografie		
Geschichte		

Deutsch	Ihre Sprache	andere Sprache
Englisch		
Französisch		
Latein		
Musik		
Kunst		
Sport		

c Schule – und dann? Ordnen Sie zu.

1 _F_ Nach der Schule habe ich   A   eine Ausbildung angefangen.

2 _A_ Aber dann habe ich   B   weil ich viel lerne und die Kollegen nett sind.

3 _~~C~~ G_ Ich mache eine Ausbildung   C   bei meiner Bank bleiben.

4 _B_ Das gefällt mir gut,   D   bin ich fertig.

5 _E_ Die Ausbildung dauert   E   drei Jahre.

6 _D_ In einem halben Jahr   F   in einem Café als Kellner gejobbt.

7 _C_ Hoffentlich kann ich dann   G   zum Bankkaufmann.

d Was haben Sie nach der Schule gemacht? Schreiben Sie einen kurzen Text wie in 1c.

SSL skip

_____

_____

_____

2

a Lesen Sie das Interview. Formulieren Sie die passenden Fragen.

1. _____

   Ich bin ein Jahr als Au-Pair nach Paris gegangen. Da habe ich endlich richtig gut Französisch gelernt.

2. _____

   Ja, das war schön. Aber am Anfang war es nicht so gut, weil ich Probleme mit der Familie hatte. Ich habe mich da nicht wohl gefühlt. Aber dann bin ich zu einer anderen Familie gekommen und da war es sehr schön. Die Kinder waren sehr lustig und wir hatten viel Spaß. Ich habe immer noch Kontakt mit der Familie.

3. _____

   Ich habe dann mit dem Studium angefangen. Ich habe Französisch und Italienisch studiert.

4. _____

   Jetzt arbeite ich als Lehrerin für Französisch und Italienisch und manchmal übersetze ich Texte für eine Zeitschrift.

5. _____

   Die Arbeit als Lehrerin macht mir Spaß, aber ich möchte gerne noch mehr übersetzen. Ich habe einen Traum: Ich möchte moderne französische Literatur ins Deutsche übersetzen.

   Was machen Sie jetzt? • Was haben Sie dann gemacht? • Hat Ihnen das Spaß gemacht? • Was sind Ihre Pläne für die Zukunft? • Was haben Sie nach der Schule gemacht?

b Schreiben Sie einer Freundin einen kurzen Bericht über dieses Interview.

Hi Isa,

ich habe ein interessantes Interview mit einer Frau gelesen. Sie ist – genau wie du – nach der Schule als Au-Pair nach Frankreich gegangen. Sie war ein Jahr in Paris und hat dort …

_____

_____

_____

_____

Schule – eine schöne Zeit?

3

a Erinnerungen an die Schule. Lesen Sie noch einmal die Einträge auf der Schulplattform im Kursbuch, Aufgabe 3a. Machen Sie eine Tabelle mit den Informationen.

Name	Das war an der Schulzeit gut:	Das war an der Schulzeit nicht gut:
Bernd Christiansen	viel Zeit, 6 Wochen Sommerferien	nicht arbeiten, keine eigene Wohnung, nicht erwachsen
Carsten Spatz	…	
…		

toll = great

b **Hören Sie die Radiosendung. Wie war das in der Schule von Christian? Was hat ihm in der Schule gefallen, was nicht? Ordnen Sie zu.**

1.10

Freunde in der Schule • Pausen • Hausaufgaben • Schulausflüge •
Latein • Essen in der Schulkantine • Biologieunterricht • Mathe • Ferien

school trip

☺   ☹

_____   _____

_____   _____

_____   _____

c **Die nächste Anruferin erzählt. Ergänzen Sie *haben* oder *sein* im Präteritum. Hören Sie dann zur Kontrolle.**

1.11

case *past tense*

Eigentlich ___habe___ (1) ich gern in der Schule. Meine Klasse ___war___ (2) sehr nett und wir ___hatten___ (3) gute Lehrer. Aber natürlich ___war___ (4) nicht alles gut in der Schule. In Englisch zum Beispiel ___war___ (5) ich gar nicht gut. Ich ___hatte___ (6) Probleme mit der Aussprache und immer viel zu große Angst vor Fehlern. Und in Chemie ___hatte___ (7) ich auch oft Probleme. Aber da hat mir ein Freund geholfen. Lustig ___war___ (8) es vor allem in den Pausen und auf dem Schulweg. Wir sind immer mit dem Fahrrad in die Schule gefahren. Da ___waren___ (9) wir immer zu viert oder zu fünft und das ___waren___ (10) sehr schön.

pl

4

a **Schule früher und heute. Lesen Sie die Aussagen im Forum. Wie ist es heute bei Ihnen? Ergänzen Sie.**

Früher	**Heute**
Früher mussten die Schüler viele Bücher in die Schule mitnehmen.	*Heute können viele Schüler mit dem Laptop zur Schule gehen.*
Früher musste ich weite Wege zu Fuß gehen oder mit dem Fahrrad fahren.	
Früher durfte mein Vater mittags nach Hause gehen.	
Früher mussten wir samstags zur Schule.	
Früher musstet ihr zu Hause wenig Hausaufgaben machen.	

b Markieren Sie die Modalverben in 4a und ergänzen Sie die Präteritum-Formen in der Tabelle.

Modalverben: Präteritum						
	wollen	**müssen**	**können**	**dürfen**	**sollen**	**Endungen**
ich	wollte	_____	_____	durfte	sollte	_____
du	wolltest	musstest	konntest	durftest	solltest	_____
er/es/sie	wollte	musste	konnte	_____	sollte	_____
wir	wollten	_____	konnten	durften	sollten	_____
ihr	wolltet	_____	konntet	durftet	solltet	_____
sie/Sie	wollten	*mussten*	konnten	durften	sollten	_____

c Ergänzen Sie die Endungen in der letzten Spalte.

d Präsens oder Präteritum? Ergänzen Sie die Modalverben.

1. _____ (müssen) ihr noch Hausaufgaben machen? – Nein, wir sind fertig.

   Wir _____ (dürfen) jetzt schwimmen gehen. Nur Jan _____ (sollen) Mathe üben.

2. Warum _____ (können) du gestern nicht lernen? – Ich _____ (wollen)

   lernen, aber ich war so müde ...

3. Warum waren Sie gestern nicht im Unterricht? – Entschuldigung, ich _____ (können)

   nicht kommen. Ich _____ (müssen) zum Arzt gehen.

5 Wie war das bei Ihnen? Was *konnten, mussten, wollten, durften, sollten* Sie? Wählen Sie ein Thema
 und schreiben Sie dazu mindestens fünf Sätze. Verwenden Sie Modalverben im Präteritum.

> erster Arbeitstag • letzter Schultag • zum ersten Mal alleine in die Schule gehen •
> zum ersten Mal ein Meeting organisieren • erste Präsentation •
> zum ersten Mal mit einem Freund / einer Freundin in Urlaub fahren

Mit 16 Jahren durfte ich zum ersten Mal mit einer Freundin in Urlaub fahren. Ich musste ...

6

a *sp* und *st*. Lesen und sortieren Sie die Wörter. Hören Sie zur Kontrolle.

1.12

> anstrengen • Arbeitsplatz • August • ausprobieren • ~~Beispiel~~ • besprechen •
> bestellen • Buchstabe • fast • Filmfest • gestern • meistens • Speisekarte • Stuhl • Verspätung

sp		st	
schp wie in *Sport*	*sp* wie in *Transport*	*scht* wie in *Stadt*	*st* wie in *erst*
Beispiel			

b Hören Sie den Zungenbrecher und sprechen Sie nach.

1.13

Mein Spitzer spitzt Stifte spielend spitz.
Spielend spitzt mein Spitzer Stifte spitz.

passen – suit, fit

supplement

Wo sind meine Sachen?

7

DATIV = WO?

a *hängen, stehen* oder *liegen*? Welches Verb passt? Ergänzen Sie in der richtigen Form.

Flur ?

1. Wo ist meine Tasse? Die war immer im Regal. – Jetzt __stehen__ alle Tassen im Schrank. *DATIV*

2. Wo ist die Schokolade? – Die ___steht___ im Kühlschrank. *DATIV   DATIV*

3. Die Uhr ist nicht mehr im Flur. – Ja genau, die ___hängt___ jetzt in der Küche über der Tür.

4. Wo ist denn die Kaffeemaschine? – Die ___liege___ neben dem Regal. *nt*

5. Und wo ist der Kaffee? – Der ___steht___ im Schrank.

6. Ich finde die Kochbücher nicht. – Siehst du sie nicht? Die ___stehen___ im Regal.

7. Und wo ist der Teppich? – Der ___liegt___ jetzt im Flur. *carpet, rug*

8. Wo ist der Kalender? – Der ___hängt___ über dem Tisch. *m*

b Machen Sie eine Skizze von einem (oder Ihrem) Zimmer mit mindestens sieben Gegenständen. Ihr Partner / Ihre Partnerin darf die Zeichnung nicht sehen. Beschreiben Sie ihm/ihr das Zimmer. Er/Sie zeichnet das Zimmer. *(die) sketch   at least 7   objects   drawing*

*Vorne, in der Mitte, ist die Tür.
Rechts neben der Tür ...*

See Pages 19 & 20 & 21

8 **a Alles neu in der Küche. Ergänzen Sie.**

Wo? ⊙	Wohin? ⟳	Wo? ⊙
1. Die Uhr war _über dem_ Herd. (über)	Wir haben sie _neben das_ Bild gehängt. (neben)	Sie hängt jetzt _____ Bild.
2. Der Zucker war _____ Regal. (in)	Wir haben ihn _____ Schrank gestellt. (in)	Jetzt steht der Zucker _____ Schrank.
3. Das Obst war _____ Kühlschrank. (auf)	Wir haben es _____ Tisch gestellt. (auf)	Das Obst ist jetzt _____ Tisch.
4. Das Bild war _____ Regal. (neben)	Wir haben es _____ Wand gehängt. (an)	Jetzt hängt das Bild _____ Wand.
5. Das Kochbuch war doch _____ Herd. (über)	Wir haben es _____ Regal gestellt. (in)	Jetzt steht es _____ Regal.

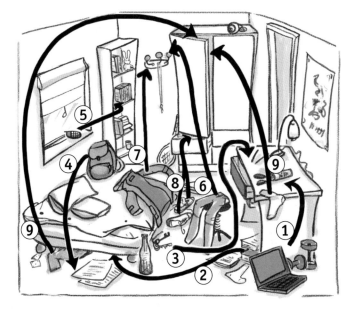

Wechselpräpositionen

Machen Sie Lernkärtchen mit einem Beispielsatz und Zeichnungen.

stellen auf + Akk.
Ich stelle die Tasche auf **den** Boden.

stehen auf + Dat
Die Tasche steht auf **dem** Boden.

b Wohin räumt Eva ihre Sachen? Ergänzen Sie die Sätze.

1. Eva stellt den Laptop _auf den Tisch_ .
2. Sie legt die Bücher _____ .
3. Sie legt die Schlüssel _____ .
4. Sie stellt den Rucksack _____ .
5. Das Handy legt sie _____ .
6. Die Hose hängt sie _____ .
7. Sie hängt die Jacke _____ .
8. Die Schuhe stellt sie _____ .
9. Sie legt die Socke und das T-Shirt

   _____ .

C Was macht Laura fast jeden Tag? Schreiben Sie Sätze.

1. um acht / Laura / in / das Zentrum fahren   *Um acht fährt Laura ins Zentrum.*

2. sie / in / ein Kleidergeschäft / arbeiten   _____

3. mittags / sie / in / das Geschäft / essen   _____

4. in der Pause / sie / in / eine Bäckerei / gehen   _____

5. abends / sie / in / der Supermarkt / einkaufen   _____

6. sie / ihr Fahrrad / hinter / das Haus / stellen   _____

7. sie / vor / der Fernseher / essen   _____

9 Nach dem Einkaufen. Was machen Sie? Schreiben Sie 7 Sätze.

der Schlüssel, der Mantel, die Schuhe		an	die Wand, die Tür
die Tasche, das Handy	hängen	auf	der Tisch, der Stuhl
die Eier, das Obst	stellen	in	der Kühlschrank
die Flaschen, der Kuchen	legen	neben	das Regal, der Schrank
das Fleisch, das Öl, …		unter	die Küche, der Keller, …

Ich stelle die Tasche auf einen Stuhl.

Neu in der Stadt

10 Tobias in Graz. Ergänzen Sie.

1. Tobias studiert __*an der*__ Technischen Universität in Graz. 2. Er wohnt mit zwei Freunden

__*in einem*__ Haus weit weg vom Zentrum. 3. Am Abend geht er gern __*in die*__ Lokale im

Univiertel. 4. Am Wochenende hatte Tobias Besuch von seinen Eltern. Am Morgen haben sie gemeinsam

__*auf den*__ Markt am Kaiser-Josef-Platz eingekauft. 5. Mittags waren sie __*in dem*__ Café im

Stadtpark. 6. Am Nachmittag sind sie __*in das*__ Kunsthaus gegangen. 7. Später sind sie noch

__*auf den*__ Schlossberg und zum Uhrturm gegangen.

....
an der • auf dem • auf den • im • in die • in einem • ins
....

11 Eine Freundin besucht Sie in Ihrer Stadt. Lesen Sie die E-Mail und schreiben Sie eine Antwort. Nennen Sie mindestens vier Aktivitäten.

Hallo,
ich freue mich schon aufs Wochenende, ich komme am Samstagmittag zu dir und dann geht's los.
Was machen wir denn?
Bis Samstag, Sophie

Liebe Sophie,
Ich freue mich, dass du mich endlich mal in … besuchst. …

Schultypen in Deutschland

12 a Schüler und ihre Schulzeit. Welches andere Verb passt nicht? Streichen Sie.

1. Theresa hat das Gymnasium besucht. – gemocht. – ~~gelernt.~~

2. Sie hat im Zeugnis meistens gute Noten bekommen. – gehabt. – studiert.

3. Nach dem Abitur möchte sie Französisch studieren. – bekommen. – lernen.

4. Thomas hat in der Grundschule Lesen und Schreiben gelernt. – gegeben. – geübt.

5. Dann ist er in die Hauptschule gegangen. – besucht. – gekommen.

6. Anne hat in diesem Jahr den Realschulabschluss gemacht. – geschafft. – gefunden.

7. In den Sommerferien hat sie gejobbt. – gearbeitet. – gemacht.

8. Jetzt möchte sie eine Ausbildung als Krankenschwester machen. – beginnen. – sehen.

b Der letzte Schultag. Hören Sie die Radio-Sendung. Was sagen Marcel Schneider und Julia Schmidt? Richtig oder falsch? Kreuzen Sie an.

1.14

	r	f
1. Marcel Schneider hat morgen seinen letzten Schultag.	☐	☐
2. Marcel hatte keine guten Noten in der Schule.	☐	☐
3. Deutsch und Englisch haben ihm gefallen.	☐	☐
4. Marcel muss jetzt eine Stelle für eine Ausbildung suchen.	☐	☐
5. Nur Marcels Noten sind für seine Ausbildungsstelle wichtig.	☐	☐
6. Julia arbeitet bald in einer Firma in Brasilien.	☐	☐
7. Julia spricht schon sehr gut Portugiesisch.	☐	☐
8. Nach ihrer Zeit in Brasilien will sie vielleicht an die Uni gehen.	☐	☐
9. Julia hat sich in der Schule ganz allein gefühlt.	☐	☐
10. Julia musste nicht sehr viel für die Schule lernen.	☐	☐

13

a Eine Traumschule? Ergänzen Sie. Achten Sie auf die Verbform in der Vergangenheit.

Ich h__ __ __ (1) in der Schule v__ __ __ __ (2) Freunde gefunden. Aber ich h__ __ __ __ (3) wenig Zeit,

w__ __ __ (4) ich sehr viel l__ __ __ __ __ __ (5) musste. Besonders für Ch__ __ __ __ (6), Physik und Biologie

m__ __ __ __ __ __ (7) ich viel lernen. Und ich ko__ __ __ __ (8) nie aussch__ __ __ __ __ __ (9), weil der

Unterricht s__ __ __ __ (10) früh begonnen hat: U__ (11) Viertel vor acht! Schr__ __ __ __ __ __ __ __ (12)!

Und es war str__ __ __ __ __ (13), weil wir jede Wo__ __ __ (14) Tests und Prüfungen h__ __ __ __ __ (15).

Wirklich keine Traumschule.

b Lesen Sie den Text. Notieren Sie die Antworten.

1. Wo hat Lena Richter die Grundschule besucht?
2. Warum war Lena Richter in der Grundschule in Paris unglücklich?
3. Wie lange war sie an der französischen Schule in Wien?
4. Wie lange hat der Unterricht gedauert?
5. Welche Sprache haben die Schüler an der Schule in Wien gesprochen?
6. Warum hat sie den Musiklehrer super gefunden?
7. Wo hat Lena Richter Abitur gemacht?

Von Schule zu Schule

„Ich habe viele Schulen besucht, es waren fünf verschiedene bis zum Abitur in München", erzählt die Ärztin Lena Richter. Das war nicht ihr Wunsch, aber es war einfach so. Ihr Vater hat in vielen Ländern gearbeitet. Zuerst ist Lena in Deutschland in die Grundschule gegangen, dann ist die Familie nach Frankreich gezogen. „Die Grundschule in Paris war streng, sehr streng. Wir mussten still sitzen, wir mussten viele Hausaufgaben machen. Und ich konnte die Sprache noch nicht gut. Ich war sehr unglücklich", sagt Lena Richter. Dann war sie zwei Jahre in einer anderen Schule in Straßburg. Mit 13 Jahren ist sie nach Wien gekommen und hat vier Jahre lang das Lycée Français besucht, eine französische Schule in Wien. „Ich war von 8 bis 16 Uhr in der Schule, und dort haben wir fast nur französisch gesprochen. Wir hatten nur kleine Klassen und ich habe bis heute Freunde aus dieser Zeit."

Frau Richter erinnert sich gern an diese Zeit. „Wir haben in der Schule zu Mittag gegessen und das Essen war ganz okay. Dann hatten wir noch Unterricht oder Lernzeit. Nach der Schule hatte ich dann wirklich frei. Ich hatte Zeit für meine Wiener Freundinnen, für Musik und andere Sachen. Und für die Jungs", erzählt Frau Richter und lächelt. „Unser Musiklehrer war besonders gut. Im Sommer haben wir draußen Gitarre gespielt und gesungen, vor allem die Hits aus den Charts."

Dann ist Frau Richters Familie nach München gezogen und sie war in einem deutschen Gymnasium. Da war der Traum zu Ende. „Wir hatten meistens Unterricht bis 13.30 Uhr, aber danach mussten wir so viele Hausaufgaben machen und lernen. Ich hatte keine Zeit für mich. Für das Abitur mussten wir sehr viel lernen, in allen Fächern. Vielleicht war die Schule auch gar nicht so schlecht", sagt Lena Richter. „Aber ich war nicht gern in München, weil alle meine Freunde in Wien waren."

Das kann ich nach Kapitel 2

R1 Hören Sie. Was sagen die Personen? Ergänzen Sie.

◉ 1.15

Michael Halber

Lieblingsfach: _____

nach der Schule: _____

dann: _____

jetzt: _____

Nina Wenzel

Lieblingsfach: _____

nach der Schule: _____

dann: _____

jetzt: _____

	☺☺	☺	☹	☹	KB	AB
✆📖 Ich kann Berichte über Schule und Ausbildung verstehen.	☐	☐	☐	☐	1–3	1c, 2–4a, 12b, 13b

R2 Berichten Sie über Ihre Schulzeit. Schreiben Sie.

1. (nicht) gern / in / die Schule / gehen
2. (nicht) sehr früh / aufstehen / müssen
3. in … Probleme / haben
4. wenig Zeit / für … haben

	☺☺	☺	☹	☹	KB	AB
✎ Ich kann über die Schulzeit und die Zeit danach berichten.	☐	☐	☐	☐	5	1d, 4a, 5

R3 Wohin hast du … gelegt/gestellt/gehängt? Wo ist …? Sprechen Sie zu zweit.

A

Sie finden ein paar Dinge nicht. Fragen Sie Ihren Partner / Ihre Partnerin.

    Handy?   Tasche?   Jacke?

Ihr Partner / Ihre Partnerin sucht ein paar Sachen. Wo sind die? Antworten Sie.

    neben – Tür   auf – Stuhl   an – Schrank

B

Stiefel?   Mütze?   Mantel?

Sie finden ein paar Dinge nicht. Fragen Sie Ihren Partner / Ihre Partnerin.

unter – Buch   in – Flur   an – Tür

Ihr Partner / Ihre Partnerin sucht ein paar Sachen. Wo sind die? Antworten Sie.

	☺☺	☺	☹	☹	KB	AB
💬✎ Ich kann fragen und schreiben, wo Dinge sind.	☐	☐	☐	☐	7b, 8–9	7–9

Außerdem kann ich	☺☺	☺	☹	☹	KB	AB
✆ … Gespräche über die Schulzeit verstehen.	☐	☐	☐	☐	1b	3b–c, 12b
💬 … über Gewohnheiten sprechen.	☐	☐	☐	☐	9	9
💬 … über die Schule berichten.	☐	☐	☐	☐	2, 4b, c	
💬 … über Schultypen sprechen.	☐	☐	☐	☐	12c, d, 13	
📖 … Informationen über das Schulsystem in Deutschland verstehen.	☐	☐	☐	☐	12a–b	12a
📖✎ … Tipps für einen Stadtbesuch verstehen und geben.	☐	☐	☐	☐	10a, 11	10, 11

Lernwortschatz Kapitel 2

in der Schule

die Klasse, -n _____

das Klassenzimmer, – _____

die Hausaufgabe, -n _____

die Schuluniform, -en _____

eine Schuluniform tragen _____

die Stunde, -n _____

die Deutschstunde, -n _____

der Stundenplan, -pläne _____

der Unterricht (Singular) _____

die Pause, -n _____

die Ferien (Plural) _____

Sommerferien haben _____

korrigieren _____

Schulfächer

das Fach, Fächer _____

Biologie (kurz: Bio) _____

Chemie _____

Geschichte _____

Geografie _____

Kunst _____

Mathematik (kurz: Mathe) _____

Musik _____

Physik _____

Sport _____

die Fremdsprache, -n _____

das Lieblingsfach, -fächer _____

Noten und Zeugnisse

die Note, -n _____

das Zeugnis, -se _____

der Fehler, – _____

keine Fehler machen _____

die Prüfung, -en _____

der Test, -s _____

nach der Schule

der Abendkurs, -e _____

die Arbeitswelt (Singular) _____

als Au-Pair nach ... gehen _____

die Ausbildung, -en _____

eine Ausbildung zum ... anfangen _____

die Ausbildung dauert ... Jahre _____

das Berufsleben _____

das Berufsleben kennenlernen _____

_____

die Berufsschule, -n _____

die Karriere _____

Ich möchte Karriere machen. _____

_____

der Kontakt, -e _____

Kontakt mit/zu Schulfreunden haben _____

_____

die Lehre, -n _____

eine Lehre machen _____

das Praktikum, Praktika _____

der Plan, Pläne _____

die Vorbereitung, -en _____

die Vorbereitung auf die Arbeitswelt _____

_____

die Zukunft (Singular) _____

Pläne für die Zukunft haben _____

ab|schließen _____

die Lehre abschließen _____

erwachsen sein _____

an der Universität

die Universität, -en (kurz: die Uni, -s) _____

das Seminar, -e _____

das Semester, – _____

der Professor, -en _____

die Professorin, -nen _____

die Vorlesung, -en _____

an der Uni Vorlesungen besuchen _____

_____

das Schulsystem

die Grundschule _____

die Hauptschule _____

die Realschule _____

die Gesamtschule _____

das Gymnasium _____

das Abitur _____

der Abschluss, Abschlüsse _____

das Internat, -e _____

Wo ist das?

hängen _____

Die Uhr hängt an der Wand. _____

_____

Ich hänge die Uhr an die Wand. _____

_____

liegen _____

Der Teppich liegt auf dem Boden. _____

_____

legen _____

Ich lege das Buch auf den Tisch. _____

_____

stehen _____

wichtig für mich

_____

_____

_____

Kennen Sie den Unterschied?

Wer zur Schule geht, ist ein _____ / eine _____.

Wer an der Uni studiert, ist ein _____ / eine _____.

Der Kaffee steht im Schrank. _____

_____

stellen _____

Ich stelle die Tasche auf den Boden. _____

_____

neu in der Stadt

die Ausstellung, -en _____

in eine Ausstellung gehen _____

der Besuch, -e _____

Besuch von den Eltern bekommen _____

_____

der Tipp, -s _____

aus|geben _____

nur wenig Geld ausgeben _____

günstig _____

andere wichtige Wörter und Wendungen

die Erinnerung, -en _____

auf|stehen _____

aus|schlafen _____

(sich) erinnern _____

(sich) wundern _____

Das wundert mich. _____

lustig _____

anders _____

Jetzt sehe ich das ganz anders. _____

_____

die Bildung = learning, education
das Speicher = storage place

3 Medien im Alltag

2, 3, 7, ⊬

both are richtig

1 Wortschatz

a Sehen Sie das Bild an und ordnen Sie die Wörter zu.

6 die CD / die DVD / die CD-ROM

2 der Drucker

11 die Tastatur

9 das Handy

1 das Papier

~~8~~ 7 das CD-/DVD-Laufwerk ~~(3)~~
you can put in a CD/DVD

8 der Lautsprecher

5 die Web-Cam

12 die Maus

10 das/der Tablet

~~4~~ 7 der Computer *3*

4 ~~3~~ der Bildschirm — *?*

b Beschreiben Sie Ihren Computer. Verwenden Sie mindestens fünf Wörter aus 1a.

> Ich habe kein Tablet, aber einen Computer. Die Tastatur von meinem Computer ist schwarz und ...

c Welches Wort passt zu welchem Symbol in der Tabelle? Ordnen Sie zu.

aus-/anmachen • surfen • kopieren • downloaden • suchen • senden • drucken • speichern • simsen

zum

Pikto	Deutsch	Ihre Sprache	andere Sprache
1	suchen	search	
2	downloaden		
3	speichern	save	
4	kopieren	copy	
5	drucken	print	
6	senden		
7 www.klett-sprachen.de	surfen		
8	simsen ?		
9	aus-/anmachen	on/off (power)	

d Welche Wörter kennen Sie aus Ihrer oder einer anderen Sprache? Notieren Sie in der Tabelle.

2

a Sie bekommen eine SMS von Petra – Sie kennen aber keine
Petra. Was machen Sie? Wählen Sie eine SMS (1–3) oder
schreiben Sie eine andere Antwort (4).

> ..ıl. ⊠
>
> Hallo,
> wann treffen wir uns morgen?
> Um 20:00 am Kino oder schon
> um 18:30 – zum Essen?
> LG Petra

> ..ıl. ⊠
>
> ???
> Wer bist du? Ich kenne dich
> nicht …
>
> 1

> ..ıl. ⊠
>
> Um 18:30 vor der Pizzeria
> Italia. Bis morgen!
>
> 2

> ..ıl. ⊠
>
> Habe eine SMS von dir
> bekommen. Die ist aber
> nicht für mich.
>
> 3

> …
>
> 4

 b Hören Sie. Was ist Jörg passiert? Beantworten Sie die Fragen.

1.16

1. Was ist das Lieblingsmedium von Jörg? _____

2. Warum ist das sein Lieblingsmedium? _____

3. Was denken Sie: Treffen sich Petra und Jörg? _____

 c Hören Sie das Ende der Geschichte. Kennen Sie ähnliche Geschichten?
Schreiben Sie einen kurzen Text.

1.17

3

a Sehen Sie den Cartoon an. Warum möchte der Junge ein Handy? Kreuzen Sie an.

ABER PAPA! ICH BRAUCHE EIN HANDY!

WOMIT SOLL ICH DENN SONST KLINGELTÖNE RUNTER LADEN?

a Er möchte mit Freunden telefonieren.

b Er möchte SMS schreiben.

c Er möchte Spiele spielen.

d Er möchte Melodien runterladen.

e Er möchte Filme machen und ansehen.

b Was denkt der Vater? Notieren Sie einen Satz.

_____

c Was machen Sie alles mit Ihrem Handy/Smartphone?

_____

[handwritten: for 18 OCT]
[handwritten: übrig bleiben = be left over]
[handwritten: das Gerät = tool, appliance └ like a Kindle?]

Was ist besser?

4 **a** **Medienwelt. Notieren Sie zu den Adjektiven den Komparativ.**

[handwritten: lange?]

1. alt — *älter*
2. billig — *billiger* ✓
3. einfach — *einfacher*
4. gut — ~~weller~~ *besser* ✓

5. lustig — *lustiger* ✓ *[handwritten: long vowel]*
6. modern — *moderner* ✓
7. neu — *neuer*
8. gern — *lieber* ✓

9. praktisch — *praktischer* ✓
10. schön — *schöner* ✓
11. schnell — *schneller* ✓
12. teuer — *teurer* ✓

> **Komparativ**
> Kurze Adjektive mit a, o, u → ä, ö, ü
> *alt – älter, groß – größer, kurz – kürzer*
>
> **Achtung:**
> *dunkel – dunkler*

[handwritten: for lesen ♪ ADV gern – lieber]

b **Lesen Sie die Texte im Forum zum Thema E-Books. Ergänzen Sie Adjektive aus 4a im Komparativ (drei Adjektive bleiben übrig).**

[handwritten: lustiger is adj about contents]

123: Hallo, mein Freund hat nächste Woche Geburtstag. Ich schenke ihm vielleicht ein E-Book. Was meint ihr: Ist das eine gute Idee? Oder soll ich ihm ~~lustiger~~ *lieber* (1) ein normales Buch kaufen?

Rumpel: Super Idee! Schenk ihm ein E-Book. Das ist viel *praktischer* (2). Da hat er viele Bücher in einem kleinen Gerät dabei.

Lia: Ich weiß nicht. Ich finde ein Buch viel *schöner* (3). Ich weiß, ein E-Book ist *moderner* (4), aber ich lese *lieber* (5) Bücher aus Papier und nicht auf dem Bildschirm. Außerdem ist ein E-Book viel *teurer* (6) als ein Buch.

Rumpel: *„Außerdem ist ein E-Book viel teurer als ein Buch."* Na ja, das stimmt nicht so ganz. Man muss nur einmal das Gerät kaufen, aber dann sind die Bücher viel *billiger* (7) als echte Bücher. Und man bekommt sie viel *schneller* (8).

Totter: E-Books sind doch viel *besser* (9). Man kann in einem E-Book ganz einfach Wörter suchen und finden. Das finde ich viel besser bei den E-Books. Kauf ihm ein E-Book.

c **Sehen Sie die Bilder an und vergleichen Sie.**

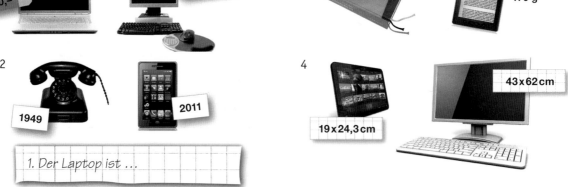

1 710,– 499,–
2 1949 2011
3 2,4 kg 170 g
4 19×24,3 cm 43×62 cm

1. Der Laptop ist …

Simsen = text on Handy

Das ist wichtig für mich

5

a **Was mögen Sie? Was ist wichtig für Sie? Schreiben Sie fünf Sätze mit *als*. Verwenden Sie die Adjektive *gern*, *oft* und *selten*.**

1. online / im Kaufhaus einkaufen

   Ich kaufe lieber ... _____

2. Bücher / Zeitschriften lesen

   _____

3. unterwegs / zu Hause telefonieren

   _____

4. einen Film im Kino / zu Hause ansehen

   _____

5. ...

   _____

b **Vergleich mit *als* oder *wie*? Ergänzen Sie.**

KOMP

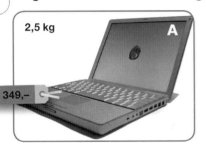

2,5 kg A

349,–

1. Laptop A ist genauso teuer
   ___wie___ Laptop B.

2. Laptop B ist nicht so schwer
   ___wie___ Laptop A.

3. Laptop B ist leichter
   ___als___ Laptop A.

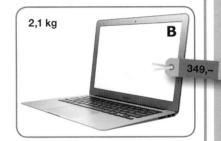

2,1 kg B

349,–

c **Telefonieren oder SMS schreiben? Ergänzen Sie *als* oder *wie*.**

◇ Telefonieren mag ich viel lieber ___als___ (1) simsen.

◆ Ich finde simsen super. Das kostet nicht so viel Zeit ___als wie___ (2) telefonieren. Oft dauert telefonieren viel länger ___als___ (3) mailen oder simsen. Und: Mit meinem Handy ist simsen nicht so teuer ___wie___ (4) telefonieren.

d **Früher und heute. Schreiben Sie drei Sätze mit *wie* und zwei mit Komparativ + *als*.**

1. am Computer lernen — *Heute lerne ich mehr am Computer als früher. / Früher habe ich nicht so viel am Computer gelernt wie heute.*

2. zu Hause telefonieren _____

3. Freunde besuchen _____

4. ins Kino gehen _____

5. Briefe schreiben _____

6. CDs kaufen _____

6

a **Aussprache: *b* oder *w*? Hören Sie und schreiben Sie die richtigen Namen.**

🎧 1.18

1. Herr ___olling, 2. Thomas ___eiß, 3. Sandra ___auer, 4. Christiane ___eber, 5. Frau ___ersch

b **Notieren Sie aus der Wortliste (S. 161 ff.) 10 Wörter mit *b* oder *w* am Anfang. Diktieren Sie die Wörter einem Partner / einer Partnerin. Tauschen Sie dann die Rollen. Korrigieren Sie gemeinsam.**

Wecker

das Angebot

Meine Meinung ist ...

7

a **Hören Sie die Radioumfrage zum Thema „Internet: Vor- und Nachteile". Ordnen Sie die Aussagen den Personen zu.**

🎧 1.19

anbieten – bid, offer
for many items

offers?

download

1 man kann Musik runterladen

2 mehr Kontakt zu Freunden haben

helpful, useful

3 (nützlich) für die Arbeit sein

4 vieles ist uninteressant

Lara Klein 2, 5, 6 ____

Ferdinand Köster 3, 5 ____

Andreas Paulsen 8, 1, 7 ____

Martha Fuchs 4 ____

5 ist schnell

6 bietet Informationen

7 man muss zum Arbeiten nicht ins Geschäft

8 man kann mit Freunden spielen

b **Was meinen die Personen aus 7a? Formulieren Sie die Aussagen in ganzen Sätzen.**

H.A.
(23 OCT)

1. *Lara Klein sagt, dass sie im Internet mehr Kontakt zu Freunden hat. Sie findet, dass das* Internet Informationen bietet.

2. *Ferdinand Köster meint, dass* das Internet nützlich für die Arbeit ist. *Er findet es gut, dass* es schnell ist.

3. *Andreas Paulsen ist froh, dass* er mit Freunden spielen kann und Musik runterladen kann.

4. *Martha Fuchs findet, dass* das Internet vieles uninteressant ist.

3

○ meinen – think, mean
○ das Internet
○ am

you also have other Hobbys

see p. 30

8

a Kombinieren Sie. Schreiben Sie sechs *dass*-Sätze.

> gut finden • sicher sein •
> glauben • hoffen •
> (nicht) denken • glücklich sein •
> (nicht) interessant finden •
> meinen

> Internet ist kostenlos • man kann überall online sein •
> am Abend ohne Internet sein • noch andere Hobbys haben •
> man kann mit Freunden im Ausland chatten •
> das Einkaufen ist billiger im Netz •
> viele Menschen sind auch ohne Internet glücklich

1. *Meine Schwester findet es gut, dass man mit Freunden im Ausland chatten kann.*
2. Mein Vater ~~deupt~~ denkt, dass das Internet ~~ist~~ nicht kostenlos ist.
3. Sein Brüder findet es nicht interessant, dass noch andere Hobbys haben.
4. Die Jungenliche sind glücklich, dass mann ~~nicht~~ überall online sein kann.
5. Unsere Eltern meinen, dass viele Menschen auch ohne Internet glücklich sind. ×2
6. Katrin ist sicher, dass das Einkaufen billiger im Netz ist.
7. Ich hoffe, dass am Abend ohne Internet sein.

b Was denken Sie? Schreiben Sie Kommentare und verwenden Sie *dass*-Sätze.

1. „Chatten ist nur etwas für Jugendliche." *Ich finde, dass* _____
   _____ .

2. „Im Internet findet man nur Unsinn." *Ich denke,* _____
   _____ .

3. „Am Wochenende soll man den Computer nicht anmachen." *Ich* _____
   _____ .

4. „Das Internet macht das Leben interessanter." _____
   _____ .

Das mache ich am liebsten

9

a Was gehört zusammen? Notieren Sie die beiden Formen und ergänzen Sie die *missing* fehlende Form.

> billig • besser • schön • am größten •
> schlecht • dunkel • gern • am schönsten •
> am teuersten • viel • am meisten • schlechter •
> am besten • lieber • am billigsten • groß •
> teuer • am dunkelsten

> **Superlativ**
> Kurze Adjektive mit *a, o, u* mit Umlaut im
> Komparativ bilden auch den Superlativ mit
> Umlaut: *alt – älter – am ältesten*
> **Achtung:**
> *dunkel – dunkler – am dunkelsten*

billig – billiger – am billigsten ✓ gern – lieber – am liebsten   gross – größer – am größten
✓ gut – besser – am besten ✓ schlecht – schlechter – ~~am schlechtesten~~ ✓schön – schöner – am schönsten
✓ dunkel – dunkler – am dunkelsten ✓teuer – teuer – (am schlechtsten) viel – mehr – am meisten
am teuersten

1 ✗ Sein Brüder glaubt, dass Katrin andere Hobbys hat. | FOR 8 a)
Anton glaubt)
2 ✗ Viele Menschen sind ohne Internet glücklich. = ~~direct~~ direct statement
                        ^AKK
~~direct~~→ Anton glaubt, dass viele M ohne I glücklich sind
        → denke
        → sage meine

am schlechtesten

b Formulieren Sie Fragen mit Superlativ.

1. gut gefallen – Welche Musik _gefällt dir / Ihnen am besten?_
2. lustig sein – Welcher Film _ist am lustigsten ?_
3. interessant finden – Welches Buch _findest du am interessantest_
4. schwer sein – Welches Schulfach _is am schwersten_
5. spannend finden – Welchen Sport _findet du am spannendsten_
6. gern mögen – Welche Schauspielerin _magst du am liebsten_

> **Superlativ mit *-est***
> Kurze Adjektive und Adjektive mit Betonung am Ende, die auf ***d/t*, *s/ss/ß*, *sk*, *x*,** oder ***z*** enden: Superlativ mit *-est* →
> *am interessantesten, am süßesten, ...*
> Ausnahme: *am größten*

c Suchen Sie eine Partnerin / einen Partner und beantworten Sie die Fragen aus 9b.

d Schreiben Sie zu jedem Bild einen Satz mit Superlativ.

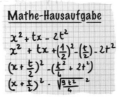

1. schnell   2. teuer   3. schwierig   4. spannend

1. Dieser Mann war ...

10

a Was für Berufe haben diese Personen?

1.      PORTLERS
    — — — — — — —
    Roger Federer

4.      KERMUSI
    — — — — — — —
    David Garrett

2.      SÄNNGIRE
    — — — — — — —
    Sarah Connor

5.      KERNIPOLITI
    — — — — — — —
    Angela Merkel

3.      NIKEROMIK
    — — — — — — —
    Anke Engelke

6.      TOGRAFOF
    — — — — — — —
    Dieter Mayr

b Lesen Sie das Star-Porträt über Michael Bully Herbig. Welche Berufe hatte und hat er?
Benutzen Sie ein Wörterbuch.

Starporträt Michael „Bully" Herbig

Michael „Bully" Herbig, geboren am 29. April 1968 in München, ist zurzeit der bekannteste Komiker Deutschlands.

Er arbeitet zuerst als Radiomoderator in München. 1997 wechselt Herbig zum Fernsehen. Dort ist er am Anfang Autor, Schauspieler, Regisseur und Produzent für die wöchentliche „Bullyparade", eine Parodie-Show. Dann setzt er seinen Erfolg im Kino fort. Er dreht den Film „Der Schuh des Manitu", eine Western-Parodie. Das Publikum ist begeistert und der Film wird ein

„Bully" Herbig, einer der bekanntesten Komiker Deutschlands

großer Erfolg. Bully Herbig macht weiter mit Parodien von bekannten Filmen, zum Beispiel „(T)Raumschiff Surprise" (eine „Star-Trek"-Parodie) und „Lissy und der wilde Kaiser" (Parodie auf die berühmten Sissi-Filme). Er dreht außerdem mehrere Kinderfilme wie „Wickie und die starken Männer". In den Bavaria Filmstudios kann man die Kulissen sehen.

Bully Herbig ist auch als Schauspieler in Filmen von anderen Regisseuren erfolgreich und er hat schon viele Preise bekommen.

Berufe:

_____

c Lesen Sie den Text noch einmal. Richtig oder falsch? Kreuzen Sie an.

	r	f
1. Bully Herbig ist für lustige Filme bekannt.	☐	☐
2. Bully Herbig hat seine Karriere beim Radio begonnen.	☐	☐
3. Im Fernsehen hat Bully Herbig nur als Schauspieler gearbeitet.	☐	☐
4. Der Film „Der Schuh des Manitu" war sehr erfolgreich.	☐	☐
5. Bully Herbig hat nur einen Kinderfilm gedreht.	☐	☐
6. Bully Herbig spielt nur in seinen eigenen Filmen.	☐	☐

Kino! Kino!

11 a Welche Wörter zum Thema „Film" kennen Sie schon? Sammeln Sie.

Filmtyp	Wie sind Filme?	Berufe beim Film	Was braucht man?
Thriller	spannend	der Regisseur	Fotoapparat

b Drei Freunde erzählen von ihren Lieblingsfilmen. Was für Filme sehen sie am liebsten?

> die Komödie • der Thriller • die Romanze • der Fantasy-Film • der Actionfilm

Peter
Ich sehe am liebsten spannende Filme mit viel Action – und das Tempo muss auch stimmen. Die Schauspieler und die Geschichte sind für mich nicht so wichtig.

_____

Nadja
Für mich darf es gern etwas mit Herz und Liebe sein. Das Leben ist schon stressig genug, da möchte ich im Kino träumen können. Dazu gehört auch immer ein Happy-End, dann bin ich glücklich.

_____

Aila
Im Kino will ich alles vergessen. Ich brauche spannende Filme mit einer guten Geschichte. Deshalb müssen die Schauspieler auch sehr gut sein, denn der Film soll real wirken.

_____

c Mögen Sie Filme? Wenn ja, welche? Wenn nein, warum nicht? Schreiben Sie einen kurzen Text wie in 11b.

12 a Peter erzählt von vier Filmen. Wie haben ihm die Filme gefallen? Notieren Sie.

1.20–23

Film 1 ☺ ☺ _____

Film 2 _____ _____

Film 3 _____ _____

Film 4 _____ _____

Gesten und Körpersprache D-A-CH: ☺   ☹

---

b Hören Sie noch einmal und notieren Sie in 12a die Hauptgründe für Peters Meinung.

1.20–23

13 Lesen Sie die Beschreibungen von Filmen aus der Schweiz und aus Deutschland. Benutzen Sie ein Wörterbuch. Welchen Film möchten Sie gern sehen? Schreiben Sie zu jedem Film einen Satz.

Eine Schweizer Beamtin trifft ihre Jugendliebe wieder, einen Musiker. Sie erinnern sich an die alte Zeit und verlieben sich neu. Ein Film mit viel Humor, Musik und natürlich auch Liebe. Die Schauspieler sind sehr sympathisch.

Ein Film über ein Experiment an einer Schule. Ein Lehrer zeigt, dass ein autoritäres System auch heute funktionieren kann. Sehr spannend und schockierend. Die Schauspieler spielen sehr „echt", man glaubt ihnen alles.

Der Taxifahrer Hartmut trifft die 6-jährige Türkin Hayat. Sie ist allein in der Stadt und spricht kein Deutsch. Zuerst will er ihr nicht helfen, aber allein lassen kann er sie auch nicht. Der Film ist gleichzeitig lustig und traurig.

> _Am liebsten möchte ich ..., weil ... Ich möchte lieber ... sehen als ..., weil ..._

Das kann ich nach Kapitel 3

R1 Was machen Sie lieber? Was ist besser? Nennen Sie Vor- und Nachteile.

> Ein Fotoapparat
> ist schwerer als
> ein Handy. Aber ...

	☺☺	☺	☺	☹	KB	AB
✎ Ich kann Vor- und Nachteile nennen.	☐	☐	☐	☐	4c, d	4c, 5b, c

R2 Wie finden die Personen Actionfilme? Toll ☺, ok ☺ oder blöd ☹?

1 Ich gehe oft ins Kino und letzte Woche habe ich mir diesen Action-film angesehen. Alle waren begeis-tert, nur ich nicht. Der Film war nicht schlecht, aber oft möchte ich solche Filme nicht sehen.

_____

2 Diesen Film habe ich am Wochen-ende gesehen und ich habe mich geärgert. Nicht logisch und deshalb langweilig – wie meistens bei Actionfilmen. Beim nächsten Mal suche ich mir den Film besser aus.

_____

3 Ein typischer Actionfilm ... und deshalb schön entspannend. Im Kino sitzen und an nichts denken, das kann ich nur bei Actionfilmen. Für mich war der Film genau richtig!

_____

	☺☺	☺	☺	☹	KB	AB
📖 Ich kann die Hauptaussagen von Kommentaren zu Filmen und Filmbeschreibungen verstehen.	☐	☐	☐	☐	12a, b, 13c	11b, 12, 13

R3 Notieren Sie zu den Stichpunkten fünf Fragen und machen Sie ein Interview mit einem Partner / einer Partnerin.

Freizeit • Beruf • Musik • Essen • Film

	☺☺	☺	☺	☹	KB	AB
💬 Ich kann ein Interview zu Alltagsthemen machen.	☐	☐	☐	☐	10	9b, c

Außerdem kann ich	☺☺	☺	☺	☹	KB	AB
🎧 ... Gespräche über Mediennutzung verstehen.	☐	☐	☐	☐	2a, 4b	
🎧 ... Umfragen und Interviews verstehen.	☐	☐	☐	☐	5a, b, 9a, b	7a
💬✎ ... über Medienverhalten sprechen und schreiben.	☐	☐	☐	☐	2b, c	1b, 3c
💬✎ ... die eigene Meinung ausdrücken.	☐	☐	☐	☐	8	8b, 13
💬✎ ... über Vorlieben sprechen und schreiben.	☐	☐	☐	☐		5a, d, 9b
💬 ... über Filme sprechen.	☐	☐	☐	☐	11	11a
📖 ... Forumsbeiträge zum Thema E-Books verstehen.	☐	☐	☐	☐		4b
📖 ... Leserbriefe zum Thema Internet verstehen.	☐	☐	☐	☐	7a	
📖 ... ein Starporträt verstehen.	☐	☐	☐	☐		10b
✎ ... einen Kommentar zu Filmen schreiben.	☐	☐	☐	☐	13b	11c

Lernwortschatz Kapitel 3

rund um den Computer

der Bildschirm, -e _____

die CD-ROM, -s _____

der Drucker, – _____

das Laufwerk, -e _____

das CD-/DVD-Laufwerk, -e _____

der Lautsprecher, – _____

die Maus, Mäuse _____

das/der Tablet, -s _____

die Tastatur, -en _____

die Web-Cam, -s _____

an sein _____

Der Lautsprecher ist an. _____

_____

an|klicken _____

die Dateien anklicken _____

an|machen _____

aus|machen _____

bloggen _____

checken _____

E-Mails checken _____

downloaden (= runter|laden) _____

Musik runterladen/downloaden _____

_____

drucken _____

kopieren _____

online sein _____

recherchieren _____

Informationen recherchieren _____

_____

senden _____

skypen _____

speichern _____

andere Medien

die Medien (Plural) _____

das E-Book, -s _____

das Fernsehgerät, -e _____

das Smartphone, -s _____

der MP4-Player, – _____

der I-Pod, -s _____

die Spielekonsole, -n _____

fern|sehen _____

das Radio, -s _____

Radio hören _____

simsen _____

twittern _____

Kino und Filme

der Actionfilm, -e _____

der Fantasy-Film, -e _____

die Komödie, -n _____

der Regisseur, -e _____

die Romanze, -n _____

der Schauspieler, – _____

die Schauspielerin, -nen _____

der Thriller, – _____

das Video, -s _____

der Zuschauer, – _____

realistisch _____

spannend _____

andere wichtige Wörter und Wendungen

der Ausländer, – _____

der Fotograf, -en _____

die Fotografin, -nen _____

die Heimat (Singular) _____

der Konflikt, -e _____

die Lösung, -en _____

das Papier, -e _____

das Produkt, -e _____

die Umfrage, -n _____

das Vorurteil, -e _____

auf|passen _____

lachen _____

weinen _____

Zeit verbringen _____

fremd _____

gefährlich _____

neugierig _____

nützlich _____

praktisch _____

selten _____

sympathisch _____

vorsichtig _____

bisschen _____

ein bisschen vorsichtig sein _____

_____

genauso ... wie _____

überall _____

zurzeit _____

Zurzeit chatte ich viel. _____

_____

wichtig für mich

_____

_____

_____

Was ist das? Notieren Sie.

der _____   _____   _____

_____   _____   _____

Was kann man damit machen? Notieren Sie möglichst viele Verben.

einen Computer   *anmachen,* _____

ein Dokument   _____

einen Film   _____

Prüfungstraining A2

In diesen Plattformkapiteln bereiten Sie sich auf A2-Prüfungen vor. Sie trainieren Prüfungen am Beispiel der Prüfung *Start Deutsch 2*. Die Prüfung besteht aus vier Teilen: Lesen, Hören, Schreiben und Sprechen. Lesen, Hören und Schreiben machen Sie allein, beim Sprechen arbeiten Sie zu zweit.

Die Prüfungsteile

	Training in Plattform
Hören	
Teil 1: Sie hören 5 Ansagen am Telefon.	1
Teil 2: Sie hören 5 Informationen aus dem Radio.	2
Teil 3: Sie hören ein Gespräch.	3
Lesen	
Teil 1: Sie lesen Informationen auf einer Informationstafel.	1
Teil 2: Sie lesen einen Zeitungstext.	2
Teil 3: Sie lesen Kleinanzeigen.	4
Schreiben	
Teil 1: Sie füllen ein Formular aus.	2
Teil 2: Sie schreiben eine Mitteilung.	3
Sprechen	
Teil 1: Sie stellen sich vor.	1
Teil 2: Sie führen ein Alltagsgespräch.	3
Teil 3: Sie handeln etwas aus.	4

Hören: Teil 1 – Ansagen am Telefon verstehen

1 **Was können Sie schon? Kreuzen Sie an:**

Ich kann ...

☐ ... Informationen über Uhrzeiten und Wochentage verstehen.

☐ ... Preisangaben verstehen.

☐ ... einfache Informationen über Treffpunkte und Orte verstehen.

☐ ... Telefonnummern und Adressen verstehen.

> Sie hören in der Prüfung (Hören: Teil 1) fünf Nachrichten auf dem Anrufbeantworter.
> Zu jeder Nachricht gibt es einen Notizzettel. Sie ergänzen die fehlende Information.

2 **Informationen auf Notizzetteln ergänzen. Lesen Sie die Notizzettel in Aufgabe 3. Was sollen Sie ergänzen? Notieren Sie die passende Nummer.**

Die Informationen, die Sie ergänzen müssen, können zum Beispiel folgende sein:

Uhrzeiten ____   Wochentage ____   Monate ____   Treffpunkte ____

Telefonnummern _O_   Preise ____   Dinge zum Kaufen ____   Dinge zum Mitbringen ____

> **Notizzettel genau lesen**
> Lesen Sie die Notizzettel sehr genau und überlegen Sie, welche Information Sie ergänzen sollen.
> Beim zweiten Hören können Sie noch korrigieren.

3 **Die Prüfungsaufgabe**

Teil 1

Sie hören fünf Ansagen am Telefon. Zu jedem Text gibt es eine Aufgabe.
Ergänzen Sie die Telefonnotizen. Sie hören jeden Text zweimal.

Beispiel

0

◉
1.24

> Praxis Dr. Weiß
>
> neuer Termin
>
> Telefonnummer: _89 45 303_

3

◉
1.27

> Verabredung mit Simon
>
> Treffen im:
>
> _____

1

◉
1.25

> Olaf
>
> Party am Samstag
>
> mitbringen:
>
> _____

4

◉
1.28

> Foto-Workshop
>
> Preis:
>
> _____

2

◉
1.26

> Herr Kanter
>
> Treffen mit Kunden aus Norwegen
>
> neue Uhrzeit:
>
> _____

5

◉
1.29

> Café Zentral
>
> für Moni arbeiten am:
>
> _____

Lesen: Teil 1 – Infotafeln verstehen

4 **Was können Sie schon? Kreuzen Sie an:**

Ich kann ...

☐ ... Listen und Hinweisschildern zu vertrauten Themen bestimmte Informationen entnehmen.

☐ ... Ortsangaben verstehen.

☐ ... häufige Schilder und Aufschriften verstehen.

> Sie lesen in der Prüfung (Lesen: Teil 1) einen Listentext, z.B. eine Infotafel in einem Kaufhaus oder eine Übersicht über touristische Angebote usw. Hierzu gibt es fünf Aufgaben. Sie sollen bestimmte Informationen in der Liste finden.

5 **Lesen Sie die Situation genau. Überlegen Sie: Nach welchen Wörtern suchen Sie in dieser Situation auf einer Hinweistafel? Notieren Sie.**

Sie gehen zu einer Messe über neue Medien. Sie suchen Informationen über E-Books. Wohin gehen Sie?

Bücher, Reader, elektronisch, ...

> **Antwort-Möglichkeiten genau lesen**
> Lesen Sie Antwort ⓐ. Richtig? Wenn nicht, prüfen Sie Antwort ⓑ. Richtig? → fertig, nicht richtig? → Kreuzen Sie Antwort ⓒ an.

6 **Die Prüfungsaufgabe**

> Lesen Sie die Aufgaben 1–5 und die Informationen am Eingang der Messe für neue Medien. Wohin gehen Sie?
> Kreuzen Sie an: ⓐ, ⓑ oder ⓒ.
>
> Beispiel
>
> **0** **Sie suchen Informationen über E-Books. Wohin gehen Sie?**
> ☒ Halle A
> ☐ⓑ Halle D
> ☐ⓒ andere Halle
>
> **3** **Sie suchen ein Lernprogramm für Ihren 12-jährigen Sohn.**
> ☐ⓐ Halle A
> ☐ⓑ Halle E
> ☐ⓒ andere Halle
>
> **1** **Sie möchten Ihrer Großmutter ein einfaches Handy schenken.**
> ☐ⓐ Halle C
> ☐ⓑ Halle E
> ☐ⓒ andere Halle
>
> **4** **Sie haben sich an einer Tür den Finger verletzt. Sie brauchen ein Pflaster.**
> ☐ⓐ Halle A
> ☐ⓑ Halle B
> ☐ⓒ andere Halle
>
> **2** **Sie möchten etwas trinken und einen Kuchen essen.**
> ☐ⓐ Halle D
> ☐ⓑ Halle E
> ☐ⓒ andere Halle
>
> **5** **Sie sind müde und möchten zur U-Bahn gehen.**
> ☐ⓐ Halle B
> ☐ⓑ Halle C
> ☐ⓒ andere Halle

Neue Medien
Informationen zur Ausstellung

Halle A Erdgeschoss	Fernseher: LCD, 3D | Heimkino-Lösungen | Beamer | E-Reader und E-Books | Software für Filmfans | Sound-Systeme | alles für das Heim-Kino | Wandfarben, Rollos und Vorhänge
Halle B Erdgeschoss	mobile Navigationsgeräte | Smartphones | Spiele für Computer und Smartphones | Apps | Zubehör Restaurant „Cyber" – Pizza und Pasta | Fundbüro Ausgang zu Taxi und Bus/Tram-Bahn
Halle C Erdgeschoss	Internet der Zukunft | Soziale Netzwerke Erste Hilfe für den Computer | Sicherheit im Internet | Anti-Virus Software Lernsoftware | Software für Graphik und Design Aufzug | Notarzt & Erste Hilfe | Ausgang zur U-Bahnstation Messe
Halle D 1. Stock	Computer | Laptops | Netbooks | Tablets Drucker | Scanner Cloud-Solutions | Datensicherung Spielzimmer | Café „Intermezzo" | Telefon | Toiletten
Halle E 1. Stock	Neue Medien für Senioren | Neue Medien für die Kleinsten | Spiele für zu Hause und für unterwegs | Spielekonsolen | Ver- und Entsorgung, Umweltschutz | Green IT Getränkeautomat

Sprechen: Teil 1 – Sich vorstellen

7

a Was können Sie schon? Kreuzen Sie an.

Ich kann ...
☐ ... wichtige Informationen über mich geben.   ☐ ... persönliche Fragen stellen.

> In der Prüfung (Sprechen: Teil 1) stellen Sie sich mit mindestens sechs Sätzen vor. Sie müssen aber nicht zu allen Stichwörtern etwas sagen. Der Prüfer stellt Ihnen anschließend zwei zusätzliche Fragen.

sich vorstellen
Dieser Teil der Prüfung ist immer gleich. Sie können diesen Teil also gut vorher mit anderen Personen üben.

Name?
Alter?
Land?
Wohnort?
Sprachen?
Beruf?
Hobby?

b Notieren Sie zu jedem Stichwort einen passenden Satz. Lesen Sie die Sätze mehrmals laut.

c Arbeiten Sie zu zweit. Stellen Sie sich abwechselnd vor, ohne die Notizen aus 7b zu lesen. Stellen Sie Ihrem Partner / Ihrer Partnerin zwei Zusatzfragen, z. B. „In welcher Straße wohnen Sie?" oder „Bei welcher Firma arbeiten Sie?"

Große und kleine Gefühle

1

a Lesen Sie die Texte im Forum und ordnen Sie die Überschriften zu. _(Title)_

> Hochzeit im Sommer • Endlich mobil! • Hannas erster Schultag • Tim ist da! •
> Hartes Training lohnt sich doch ;-) • Firmenjubiläum • Mein Schulabschluss

ben21 — Hallo, ich habe mal eine Frage: Was hat euch letztes Jahr besonders gefreut? Was war besonders schön? Erzählt doch mal!

Jasper — _Mein Schulabschluss_ _(comedy skit)_

Das war mein tollster Tag: Zuerst hat der Direktor am Vormittag jedem Schüler sein Zeugnis gegeben und allen gratuliert. Am Abend haben wir dann mit Eltern und Lehrern einen Abschlussball gemacht. Fast alle Schüler haben sich festlich angezogen, die Jungen einen Anzug und die Mädchen ein Kleid. Ein paar Schüler haben kurze Parodien über unsere Schulzeit aufgeführt, sehr lustig. Wir hatten auch eine Band und haben viel getanzt. Diesen Tag werde ich nie vergessen!

Otto — _Hartes Training ..._

Im Sommer bin ich einen Marathon gelaufen. Ich konnte es nicht glauben, aber ich bin Dritter geworden und habe eine Medaille bekommen. Da war ich wirklich glücklich. Nächstes Jahr versuche ich es wieder. Vielleicht werde ich dann Erster ☺.

Belle — _Hochzeit im Sommer_

Meine Schwester hat im Juli geheiratet. Das war schön! Wir waren in der Kirche und dann haben wir in einem Restaurant bis spät in die Nacht gegessen, getanzt und gefeiert. Die ganze Familie war da und viele Freunde, ungefähr 80 Leute. Julia und Thorsten haben viele Geschenke bekommen und sind am nächsten Tag gleich in Urlaub gefahren.

Moni — _Tim ist da_

Im April ist unser Sohn auf die Welt gekommen. Wir sind aus dem Krankenhaus gekommen _(aus)_ und zu Hause hat eine Überraschung gewartet: Unsere Freunde hatten unser Haus dekoriert, sie haben vor dem Haus eine Wäscheleine mit Babykleidung aufgehängt. Für mich war diese Tradition ganz neu. Die Freunde begrüßen das Kind und alle Nachbarn sehen auch, dass das Baby da ist.

Xana — _Endlich mobil!_ _(neben-satz w/ dass)_ _(drivers (or) license)_

Tja, letztes Jahr sind viele schöne Sachen passiert, aber besonders toll war, dass ich meinen Führerschein gemacht habe und jetzt endlich Auto fahren darf! Ich wohne auf dem Land und da bedeutet der Führerschein Freiheit. Jetzt will ich noch viel arbeiten, dann kann ich auch ein Auto kaufen. Bis dahin muss ich immer meine Mutter fragen ☹.

Tanne — _Hannas erster Schultag_

Im September ist meine Tochter in die Schule gekommen. Das ist natürlich ein Ereignis! Im Kindergarten hat sie eine Schultüte gemacht und wir haben sie mit Süßigkeiten und Geschenken gefüllt. Um neun Uhr mussten wir mit der Schultüte in der Schule sein, das war sehr spannend: welche Klasse, welche Lehrerin? Nach zwei Stunden war der erste Schultag zu Ende und wir sind mit den Großeltern in ein Restaurant gegangen.

SaBi — _Firmenjubi_

Ich arbeite schon sehr lange in meiner Firma. Letztes Jahr waren es 25 Jahre, unglaublich! Meine Kollegen und mein Chef haben eine kleine Feier im Büro organisiert. Ich habe mich gefreut, dass sie es nicht vergessen haben. Wir haben Kuchen gegessen und Kaffee getrunken. Schön waren auch die vielen Blumen! ☺

(neben-satz w/ dass)

b Lesen Sie die Beiträge noch einmal. Richtig oder falsch? Kreuzen Sie an.

— Lehrer e Eltern

r f

1. Am letzten Schultag haben *Jasper* und seine Mitschüler einen Ball gemacht. ☐ ☑
2. *Otto* möchte noch einmal einen Marathon laufen. ☑ ☐
3. Die Hochzeit von *Belles* Schwester hat mehrere Tage gedauert. ☐ ☑
4. Vor der Geburt von ihrem Kind hat *Moni* ihr Haus schön dekoriert. ☐ ☑
5. *Xana* hat sich nach der Führerscheinprüfung ein Auto gekauft. *kein Geld* ☐ ☑
6. *Tanne* hat die Einschulung von ihrer Tochter auch mit den Großeltern gefeiert. ☑ ☐
7. Der Chef und die Kollegen von *SaBi* haben eine schöne Feier vorbereitet. ☑ ☐

2 a Feste feiern. Bilden Sie acht passende Verben. *suitable*

give as a present

ken • gen • zen • chen • sen • ken • ern • la • fei • den • ein • trin • tan • es • sin • schen • la

essen, trinken tanzen feiern schenken lachen singen
einladen = invite

b Wählen Sie fünf Verben aus 2a und beschreiben Sie ein Fest oder ein wichtiges Ereignis.

Wenn ich *meine Geburtstag* feiere, ... ich lade vier oder fünf Freunden ein. Wir singen und tanzen. Wir lachen wenn etwas komishes passiert. Meine Freunden schenken mir Bücher.

to happen → passieren; geschenen.

Herzlichen Glückwunsch

3 a Was passt wo? Lesen Sie die Mails und ergänzen Sie.

gratulieren • eine schöne Feier • Für die Zukunft • alles Gute • herzlichen Dank • Hochzeit

Liebe Sonja,
Herzlichen Dank für die Einladung zu deinem Geburtstag. Leider kann ich nicht kommen, weil ich an diesem Wochenende arbeiten muss. Ich wünsche dir eine schöne Feier zu deinem Geburtstag und Für die Zukunft alles Gute.
Bis bald! Henry

Liebe Julia, lieber Thorsten,
wir gratulieren euch herzlich zu eurer Hochzeit !
Für die Zukunft wünschen wir euch alles Glück der Welt.
Herzliche Grüße von Lena und Lars

b Lesen Sie die E-Mail und hören Sie die Nachrichten auf der Mailbox. Ergänzen Sie die
Notizzettel mit den wichtigsten Informationen in Stichworten.

1.30–33

Liebe Freunde,
ich werde 25 und das möchte ich mit euch feiern!
Wann: Samstag, 11.08., 20 Uhr
Wo: Café Schnitt
Geht das bei euch? Bitte um Antwort bis 05.08. (Telefon oder Mail).
Liebe Grüße   Sonja

Momo:
kann erst um …

Anja:

Emma:

Tom:

c Schreiben Sie Sonja eine E-Mail. Bedanken Sie sich für die Einladung und schreiben Sie,
dass Sie kommen können.

jemanden böse – think badly of

Emotionen

4 **a** Emotionen: positiv oder negativ? Ordnen Sie zu und ergänzen Sie dann die Dialoge.

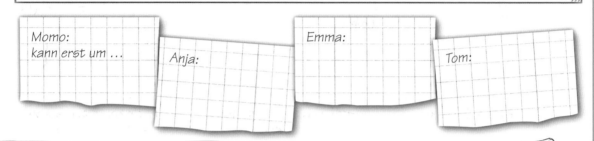

P sich freuen • ᴺAngst haben • nervös sein • traurig sein • ᴾetwas schön finden •
sich ärgern • etwas schade finden • auf jemanden böse sein • ᴳglücklich sein •
ᴾetwas aufregend finden • unglücklich sein • ᴱetwas wunderbar finden
exciting

☺ 5	☹ all andere
- sich freuen - aufregend	müde sein genervt sein gelangweilt sein

◆ Na, wie geht's?

◆ Geht so. Ich habe gleich eine Präsentation vor 20 Leuten

und bin schrecklich (1) ___nervös___ .

a negative answer

◆ Oh, das verstehe ich, aber das schaffst du schon.
Aber sag mal, wie geht es denn Fiona?

◆ Gut! Fiona ist sehr (2) ___glücklich___ .
Sie hat letzte Woche geheiratet.

◆ Ach, stimmt ja. Und wie geht es Gabriel?

◆ Na ja, seine Freundin ist gestern nach Australien

geflogen und jetzt ist er natürlich (3) ___traurig___ . Aber wie geht es dir denn?

◆ Nicht so gut. Heute Nachmittag muss ich zum Zahnarzt und ich (4) ___habe Angst___ !

◆ Du Arme!

poor thing

richtig (adj) true, correct
erzehlen – to talk
wichtig (adj) important

b **Was ist Glück? Lesen Sie die Texte und ordnen Sie zu.**

Ralf

Nach der Arbeit gehe ich lange *DAT* mit meinen Hunden durch den *AKK* Park. Das macht mich glücklich. Am Wochenende kommen meine Kinder nach Hause und die ganze Familie isst gemeinsam und erzählt. Das bedeutet für mich Glück.

Lena

Meine Arbeit macht Spaß, auch wenn es oft stressig ist. Aber ich bin auch glücklich, wenn ich etwas mit Freunden mache oder neue Schuhe kaufe ;-). Und am schönsten ist es, wenn ich einfach Zeit habe!

Maria

Pl Die kleinen Dinge machen mich glücklich: gut essen, einen Film *AKK* sehen, bei Regen auf dem Sofa *DAT* lesen. Wenn die Sonne scheint, gehe ich gern schwimmen und wandere in der Natur. Es ist wichtig, dass man sich über kleine Sachen freuen kann.

1 B Ralf ist glücklich, 　　　　　A dass sie sich nicht nur über große Dinge freut.

2 E Lena freut sich, 　　　　　　B wenn er spazieren geht.

3 A Für Maria bedeutet Glück, 　　C ist Lena glücklich.

4 D Wenn die Familie zusammen ist, D dann freut sich Ralf.

5 C Wenn sie Freunde trifft, 　　　E wenn sie nichts machen muss.

c **Und wann sind Sie glücklich? Schreiben Sie einen kurzen Text wie in 4b.**

> *Ich bin glücklich, wenn ich in den Bergen bin und ...*

> Wenn ..... ,
> was machst du dann?

d **Nebensatz mit *wenn*. Schreiben Sie Sätze.**

1. Zeit haben – ins Kino gehen　　　　　*2 verbs*

   Wenn ich Zeit habe, gehe ich ins Kino.

2. sich freuen – eine Freundin mitkommen

   Ich freue mich, wenn eine F mitkommt. (or reverse order of clauses)

3. der Film schlecht sein – sich ärgern

   Wenn der F schl ist, ärgere ich mich.

4. nach dem Film ins Café gehen – nicht zu müde sein

   Ich　　*Wenn ich zu müde bin, gehe ich nach ...*

5. nicht regnen – mit dem Rad nach Hause fahren

   Wenn es nicht regnet, fahre ich mit dem Rad nach Hause.

Nebensatz = Position I　　　*II verb*

e Viele Fragen. Antworten Sie mit *wenn*.

1. Lernen wir heute Nachmittag zusammen?
(meiner Mutter nicht helfen müssen)

   Ja, wenn ich meiner Mutter nicht helfen muss.

2. Rufst du mich später an? (zu Hause sein)

   Ja, wenn ich zu Hause bin.

3. Gehen wir am Samstag zusammen aus?
(nicht arbeiten müssen)

   Ja, ~~Nein~~ wenn ich nicht arbeiten muss.

4. Holst du mich vom Bahnhof ab? (das Auto von Tom haben können)

   Ja, wenn ich das Auto von Tom haben kann.

---

5 **a** *weil*, *dass* oder *wenn*? Ergänzen Sie.

1. Felix sagt, _____ dass _____ er nie Angst hat.

2. Ich bin sauer, _____ weil _____ Mira meinen Schlüssel verloren hat.

3. _____ Wenn _____ ich traurig bin, spreche ich immer lange mit meiner Freundin.

4. Ich bin traurig, _____ weil _____ Felix mich gestern nicht angerufen hat.

5. Mira hofft, _____ dass _____ sie die Prüfung besteht.

6. Was machst du, _____ wenn _____ du Geburtstag hast?

b Schreiben Sie die Sätze zu Ende.

die Klasse

1. *Ich bin müde, weil* ich mit meiner Schwester geärgert habe.

2. *Ich hoffe, dass* meine Klasse Hauptsätze und Nebensätze versteht.

3. *Ich freue mich, wenn* wir kleine Hausaufgabe haben.

Norddeutsche Feste

6 **a** **Die Kieler Woche oder das Rock-Festival? Warum möchten Sie diese Veranstaltungen besuchen? Schreiben Sie fünf Sätze mit *weil*.**

Kieler Woche	Rock-Festival
bei der Segelregatta zusehen möchten • die Stadt ansehen können • im Hafen Partys[3] feiern können • ~~Segelschiffe gefallen mir~~ • gern Spezialitäten probieren	die Atmosphäre von Festivals mögen • gern mit Musikfans feiern • verschiedene Bands[2] hören können • gern neue Bands hören • Rockkonzerte mögen

1. Ich finde *die Kieler Woche* besser, weil *mir Segelschiffe gefallen.*

2. Mir gefällt *das Rock-Festival* besser, weil ich verschiedene Bands hören kann.

3. Ich fahre lieber (zur)/zum ~~K~~ die Kieler Woche , weil ich im Hafen Partys feiern kann.

4. ~~B~~Die Kieler Woche ist für mich interessanter, weil[4] ich die Stadt ansehen kann.

5. Ich wähle ~~das~~ Rock-Festival , weil ich Rockkonzerte mage.

wählen – chose or elect

(handwritten top margin) → 9. aus = DAT
8. wohin = AKK

b **Markieren Sie die Adjektive in den Sätzen. Ergänzen Sie die Adjektivendungen in der Tabelle.**

1. Hast du das alte Schiff gesehen? *AKK*
2. Ich möchte einmal mit dem alten Schiff fahren. *DAT*
3. 2000 Segelschiffe haben in dem großen Hafen Platz. *DAT*
4. Machst du auch eine Rundfahrt durch den großen Hafen? *AKK*
5. Auf den tollen Partys feiern Gäste und Sportler. *D or A?*
6. Die Gäste besuchen gern die tollen Partys. *AK*
7. Sportler aus der ganzen Welt kommen zur Kieler Woche.
8. Vom Kieler Hafen fahren Schiffe in die ganze Welt. *AKK*

(handwritten left margin) D or A? ?

> **Adjektivendungen**
> Nach dem bestimmten Artikel gibt
> es nur zwei Endungen, -e und -en.
> Adjektive haben im Dativ immer die
> Endung -en.

	maskulin	neutrum	feminin	Plural
Nominativ	der große Hafen	das alte Schiff	die ganze Welt	die tollen Partys
Akkusativ	den groß**en** Hafen	das alt **e** Schiff	die ganz**e** Welt	die toll**en** Partys
Dativ	dem groß**en** Hafen	dem alt**en** Schiff	der ganz**en** Welt	den toll**en** Partys

(handwritten under table: D or A / AKK)

c **Welche Adjektivform ist richtig? Kreuzen Sie an.**

(handwritten: DATIV)
1. Die schöne ☒ schönen ☐ Altstadt von Kiel liegt nahe bei dem internationale ☐ internationalen ☒ *(DATIV)* Hafen. 2. Im Zentrum ist der alte ☒ alten ☐ Markt. 3. Besuchen *(AKK)* Sie auch die bekannte ☒ bekannten ☐ Nikolaikirche. 4. Im interessante ☒ interessanten ☒ *(DATIV)* Stadtmuseum finden Sie Informationen zur Geschichte von Kiel. 5. Die gemütliche ☒ gemütlichen ☒ *(Pl)* Lokale im Zentrum laden die hungrige ☐ *(Plural)* die hungrigen ☒ Touristen ein. 6. Möchten Sie shoppen gehen? In den große ☐ *(DAT)* großen ☒ *(DAT Plural)* Kaufhäusern in der Holstenstraße finden Sie alles. 7. Überraschungen gibt es in den kleine ☐ kleinen ☒ Geschäften. *(NOUN)*

(handwritten right margin) WO = DATIV

7 **Ein Fest – zwei Meinungen. Beschreiben Sie das Fest. Drücken Sie mit den Adjektiven aus dem Kasten zwei verschiedene Meinungen aus.**

> bekannt • schrecklich • blöd • lecker •
> wunderbar • teuer • langweilig • schlecht •
> komisch • billig • toll • interessant • laut

Home	Blog

In Emden feiert man im Juni die Matjes-Tage. Bei dem _wunderbaren_ (1) Fest geht es um Fische (Heringe). Alle Besucher essen die _leckere_ *(AKK PL)* (2) Fische. Und man kann die _bekannten_ *(Pl)* (3) Speisen aus der Region genießen. Man kann auch die _interressanten_ (4) *(or tollen)* Schiffe im Hafen ansehen.

(handwritten: AKK Pl)

Home	Blog

Matjes-Tage in Emden. Einmal ist genug! Bei dem _langweiligen_ (5) Fest geht es um Fische (Heringe). Aber sie schmecken nicht gut, sie riechen _schrecklich_ (6). Ich mag auch nicht zu den *(DATIV)* _komishen_ (7) Schiffen im Hafen gehen. Und das _laute_ *(or)* (8) Konzert hat auch keinen Spaß gemacht.

(handwritten right margin: adv, not adj)
(handwritten right: blöde billigere)

8

a **Ein Freund / Eine Freundin erzählt. Sie hören ihm/ihr zu und reagieren. Welche Ausdrücke passen? Kreuzen Sie an.**

1. *Ich war auf einem Fest. Da habe ich einen Schulfreund getroffen. Wir haben uns 10 Jahre lang nicht gesehen.*

    a Das macht doch nichts.
    b Was für eine Überraschung!
    c Das ist mir aber peinlich!

2. *Ich bin im Zug gefahren. Eine Flasche Wasser ist auf den Laptop gefallen. Alles war nass, aber der Laptop war nicht kaputt.*

    a So ein Pech.
    b Das tut mir leid.
    c Da hast du aber Glück gehabt!

3. *Du hattest doch gestern Geburtstag. Und ich habe dich nicht angerufen. Entschuldige bitte.*

    a Da freue ich mich sehr.
    b Du hast recht.
    c Das macht doch nichts.

b **Ergänzen Sie die Lücken. Achten Sie bei Verben auf die richtige Form.**

◆ Hallo Hannes!

◆ Hi Anja. Du, ich will dich was _fragen_ (1).

◆ Was gibt's?

◆ Fährst du mit _____ (2) Sevilla?

◆ Wie bitte? Ich habe kein Geld für eine

    _____ (3). Das weißt du doch.

◆ Du brauchst kein _____ (4), nur Zeit.

    Ich habe eine Reise für zwei Personen _____ (5).

◆ Das gibt's doch nicht! So ein _____ (6)!

◆ Ja, ich habe beim Stadtfest fünf Lose _____ (7),

    zwei Euro pro Stück. Und jetzt fahren wir zwei nach Sevilla.

    Nicht schlecht, oder?

◆ Mensch, das ist ja super!

    Und _____ (8) geht es los?

◆ Das weiß ich noch nicht. Es gibt, glaube ich, drei _____ (9)

    und wir können wählen.

◆ Wie lange _____ (10) wir denn in Sevilla?

◆ Vier Tage, von Donnerstag bis _____ (11)?

    Ist doch nicht schlecht?

◆ Ach, das ist toll. Ich _____ (12) mich so ...

Reise nach Sevilla für 2 Personen!
1. Preis

fragen • freuen • Geld • gewinnen • Glück • kaufen • nach • Reise • bleiben • Sonntag • wann • Termine

c **Hören und kontrollieren Sie.**
1.34

9

1.35

a Wie klingen die Sätze? Hören Sie und notieren Sie.

1. Ich hab' keine Zeit.   3. Das weiß ich nicht.   5. Das geht nicht.   7. Ich bin am Samstag nicht da.
2. Weißt du, wie spät es ist? 4. Ich komme gleich.   6. Es regnet.   8. Das ist ja toll.

fröhlich: _____   traurig: _____   ärgerlich: _____   gestresst: _____

1.35

b Hören Sie noch einmal. Sprechen Sie nach.

**c Arbeiten Sie zu zweit. Sprechen Sie die Sätze fröhlich, traurig, ärgerlich oder gestresst.
Ihr Partner / Ihre Partnerin sagt, wie Sie gesprochen haben.**

Morgen ist die Party von Ben.   Ich habe keine Zeit.   Das ist aber schön.
Peer hatte großes Glück.   Das war sehr peinlich.   Carmen freut sich sehr.

Ende Anfang

10

**a Wie ist das Lied „Ende Anfang"? Notieren Sie die Wörter in Ihrer Sprache. Welche anderen
Sprachen sind ähnlich? Markieren Sie.**

Deutsch	Englisch	Spanisch	Polnisch	meine Sprache
poetisch	poetic	poético	poetycznie	
klassisch	classical	clásico	klasycznie	
melancholisch	melancholic	melancólico	melancholijnie	
romantisch	romantic	romántico	romantycznie	
originell	original/witty	original	oryginalnie	

b An welche Lieder oder Musiker denken Sie? Notieren Sie.

Meine Musik, meine Lieder

Ich finde dieses Lied so schön, mein Lieblingslied: _____

Ich finde den Text von diesem Lied sehr gut: _____

Ich finde, dieses Lied ist besonders poetisch: _____

Ich finde, diese Musik klingt sehr romantisch: _____

Die Musik von dieser Band ist sehr originell: _____

Zu diesem Lied kann man sehr gut tanzen: _____

Diese Musik höre ich, wenn ich traurig bin: _____

Das ist mein Gute-Laune-Lied: _____

Die Stimme von diesem Sänger / von dieser
Sängerin gefällt mir besonders gut: _____

c Vergleichen Sie mit Ihrem Partner / Ihrer Partnerin.

11 Lesen Sie die Blogeinträge im Kursbuch 11a noch einmal. Was passt zusammen? Ordnen Sie zu.

1 _D_ Carmen ist Deutschlehrerin und findet

2 ____ Wenn sie am Abend ausgeht, dann

3 ____ Carmen ist froh, dass

4 ____ Sergej hat die Erfahrung gemacht,

5 ____ Er findet es angenehm, dass

6 ____ Seine Freunde finden es nicht schlimm,

7 ____ Sergej versteht nicht, dass man

A sind ihre Freunde nie pünktlich.

B die Busse meistens pünktlich fahren.

C Essen und Getränke zur Party mitbringt.

D die Arbeit im Ausland sehr interessant.

E man in Argentinien nicht nur Tango hört.

F wenn Sergej etwas nicht versteht.

G dass die Mitarbeiter sehr freundlich sind.

12 a Ein Aufenthalt an einem anderen Ort / in einem anderen Land. Ergänzen Sie.

> ~~denken~~ • sagen • stimmen • überrascht • verstehen • wichtig

1. Ich habe _gedacht_, dass es sehr warm ist. Aber es ist kalt.

2. Es ist hier sehr _____, dass man die Freunde einlädt.

3. Ich habe geglaubt, dass alles ordentlich ist. Aber das _____ nicht.

4. Die Leute waren freundlich und haben mir geholfen. Ich war sehr _____.

5. Viele Leute _____, dass es sehr heiß ist. Das stimmt wirklich.

6. Man isst hier sehr spät am Abend. Das kann ich nicht _____.

b Lesen Sie Ihren Text. Ihr Partner / Ihre Partnerin stellt Ihnen Fragen zum Text. Antworten Sie.

Serafina Diaz aus Spanien arbeitet in einer Bank in Hamburg. Von 12.00 bis 13.00 Uhr ist dort Mittagspause, dann arbeiten alle weiter bis 17.00 Uhr. Serafina findet das komisch. In Spanien hat sie von 14.00 bis 16.00 Uhr Pause gemacht und dann bis 19.00 gearbeitet. Manchmal geht sie nach der Arbeit noch mit Kolleginnen weg, aber die gehen dann schon gegen 19 Uhr nach Hause. Sie findet, dass das viel zu früh ist.

Fragen Sie Ihren Partner / Ihre Partnerin:
– Warum war Claas in Dortmund?
– Wie lange war er bei einer deutschen Familie?
– Warum hat ihm der Kuchen nicht geschmeckt?
– Was ist Claas passiert?

Claas van der Stock aus den Niederlanden hat mit seiner Klasse ein Schulprojekt in Dortmund gemacht. Er hat eine Woche bei einer Familie gewohnt. Am Sonntagnachmittag hat es Kaffee und Kuchen mit viel Sahne gegeben. Der Kuchen hat Claas gar nicht geschmeckt, er war viel zu süß. Aber er wollte höflich sein und hat den Kuchen ganz schnell gegessen. Da hat er gleich noch ein Stück Kuchen auf seinen Teller bekommen.

Fragen Sie Ihren Partner / Ihre Partnerin:
– Was macht Serafina in Hamburg?
– Wann hat sie früher immer Mittagspause gemacht?
– Wie lange hat sie in Spanien gearbeitet?
– Wann gehen die Kolleginnen nach Hause?

Das kann ich nach Kapitel 4

R1 Hören Sie die Veranstaltungstipps und ergänzen Sie die Informationen auf den Notizzetteln.

1.36–37

1. *Altstadtfest*
   Wann: *Was gibt es:*
   Straßenbahn:

2. *Chiemsee-Festival*
   Wer spielt:
   Kartenpreis: *Beginn:*

	☺☺	☺	😐	☹	KB	AB
🎧 Ich kann Informationen über Veranstaltungen verstehen.	☐	☐	☐	☐	6a–b	6a–c

R2 Ergänzen Sie die Sätze.

Ich finde es schade, wenn …
Ich bin glücklich, wenn …
Für mich ist es traurig, wenn …

Wenn ich …, habe ich Angst.
Wenn ich …, entspanne ich mich.
Wenn ich …, freue ich mich sehr.

	☺☺	☺	😐	☹	KB	AB
✏ Ich kann beschreiben, wann ich welche Emotionen habe.	☐	☐	☐	☐	4b	4a–d, 5b

R3 Sprechen Sie mit Ihrem Partner / Ihrer Partnerin.

A

Ihr Partner / Ihre Partnerin erzählt. Reagieren Sie passend zu jeder Information.

Erzählen Sie Ihrem Partner / Ihrer Partnerin: eine Einladung zu einer Party bekommen / an dem Tag lange arbeiten / nach der Arbeit zur Party fahren / nichts mehr zum Essen da sein

B

Erzählen Sie Ihrem Partner / Ihrer Partnerin: eine Reise nach Basel machen / das Wetter schlecht sein / einen Schulfreund nach 10 Jahren wiedersehen / das Handy verlieren

Ihr Partner / Ihre Partnerin erzählt. Reagieren Sie passend zu jeder Information.

	☺☺	☺	😐	☹	KB	AB
💬 Ich kann Freude oder Bedauern ausdrücken.	☐	☐	☐	☐	8b, 9	8

Außerdem kann ich	☺☺	☺	😐	☹	KB	AB
🎧📖 … Berichte über Auslandserfahrungen verstehen.	☐	☐	☐	☐	11	11
🎧💬 … ein Lied verstehen und darüber sprechen.	☐	☐	☐	☐	10	10
💬 … über Veranstaltungen sprechen.	☐	☐	☐	☐	7a–c	7
💬✏ … ein Fest beschreiben.	☐	☐	☐	☐	2, 7c	2b
💬✏ … über Erfahrungen im Ausland berichten.	☐	☐	☐	☐	12	12b
💬📖 … Einladungen, Glückwünsche, Danksagungen verstehen und aussprechen.	☐	☐	☐	☐	3a–d	3a–c
📖 … Informationen über Ereignisse verstehen.	☐	☐	☐	☐		1

Lernwortschatz Kapitel 4

Feste und Ereignisse

die Blume, -n _____

der Blumenstrauß, -sträuße _____

das Ereignis, -se _____

die Feier, -n _____

die Führerscheinprüfung, -en _____

die Geburt, -en _____

die Hochzeit, -en _____

das Jubiläum, Jubiläen _____

der Ring, -e _____

an|bieten _____

den Gästen etwas anbieten _____

_____

bekommen _____

ein Geschenk bekommen _____

_____

heiraten _____

wunderbar _____

Glückwünsche

Herzlichen Glückwunsch! _____

Viel Glück! _____

Alles Glück der Welt! _____

gratulieren _____

Wir gratulieren Euch sehr herzlich! _____

_____

wünschen _____

Wir wünschen Euch alles Gute! _____

_____

sich bedanken

Danke schön! _____

Herzlichen Dank! _____

Tausend Dank! _____

Vielen Dank! _____

danken _____

Ich danke dir! _____

Gefühle

die Angst, Ängste _____

Angst haben _____

die Erinnerung, -en _____

die Freundschaft, -en _____

das Gefühl, -e _____

das Glück (Singular) _____

die Kindheit (Singular) _____

die Liebe (Singular) _____

das Pech (Singular) _____

So ein Pech! _____

die Sehnsucht, -süchte _____

leid tun _____

Das tut mir leid! _____

ärgerlich _____

aufregend _____

Ich finde es aufregend, ... _____

böse _____

Er ist böse auf mich. _____

fröhlich _____

gestresst _____

glücklich ↔ unglücklich _____

nervös _____

peinlich _____

Das ist mir aber peinlich! _____

_____

schade _____

Ich finde es schade. _____

Veranstaltungen

das Feuerwerk, -e _____

das Kinderfest, -e _____

das Stadtfest, -e _____

die Veranstaltung, -en _____

statt|finden _____

teil|nehmen (an) _____

historisch _____

Musik

die Band, -s _____

das Lied, -er _____

die Melodie, -n _____

der Musikstil, -e _____

klingen _____

Das Lied klingt schön. _____

im fremden Land

die Ankunft (Singular) _____

das Ausland (Singular) _____

das Wohnheim, -e _____

erzählen _____

freundlich _____

hilfsbereit _____

interessiert _____

Die Studenten sind interessiert. _____

_____

ordentlich _____

schlimm _____

Ich finde das nicht schlimm. _____

_____

überrascht _____

Ich war ziemlich überrascht. _____

_____

andere wichtige Wörter und Wendungen

der Grund, Gründe _____

der Kreis, -e _____

ab|wechseln _____

fallen _____

Ein Glas fällt auf den Teppich. _____

_____

warten _____

weg|fahren _____

beliebt _____

verschieden _____

zahlreich _____

nirgends _____

niemand _____

wichtig für mich

_____

_____

_____

_____

Notieren Sie positive und negative Gefühle.

☺

_____

_____

_____

_____

☹

nervös,

_____

_____

_____

_____

Was machen Sie beruflich?

1

a Hören Sie zwei Gespräche zu den Berufen aus dem Kursbuch. Welcher Beruf passt? Notieren Sie.

1.38–39

> Lehrer • Tischler • Anwalt • Grafiker

Gespräch 1: _____   Gespräch 2: _____

b Lesen Sie die Beschreibungen und die Anzeigen. Welche Anzeige passt zu wem?
Für eine Person gibt es keine Anzeige.

1. Lara studiert und sucht einen Job am Abend oder am Wochenende. Sie möchte nur 8 Stunden in der Woche arbeiten. _____
2. Mario spricht mehrere Sprachen und interessiert sich für andere Länder. Er kann nur nachmittags arbeiten. _____
3. Jens ist Sportstudent und sucht eine Stelle im Stadtzentrum für einige Stunden am Nachmittag. Die Arbeit soll nicht anstrengend sein. _____
4. Sarah kennt sich mit Computern aus, arbeitet gern mit Menschen und möchte vormittags arbeiten. _____
5. Nicole ist sportlich und gern draußen. Die Arbeitszeiten sind ihr egal. _____

A
www.computerprofis.de

Wir, **Computerprofis.de**,
suchen eine Aushilfe für unser Team.
Voraussetzung:
offener Umgang mit Kunden und
Kollegen, Spaß an der Arbeit
Arbeitszeiten 9.00–12.00 Uhr,
drei Tage pro Woche
Tel. 040-918171 Marc

B
www.hotel-international.de

Hotel International sucht einen
Nachtportier für drei Nächte pro
Woche

Voraussetzung: Englisch- und
Französisch-Kenntnisse

Tel. 040-239918

C
www.die-briefzusteller.de

Ferienjob als Briefzusteller in
verschiedenen Stadtbezirken.
Montag bis Samstag von 6–14 Uhr

Voraussetzung:
gute Kondition, zuverlässig

040-778191 von 9–10 Uhr

D
www.cafe-stadtpark.de

Café Stadtpark sucht eine
freundliche, sympathische
Aushilfe für Sonntag 10–18 Uhr.
Auch ohne Erfahrung in der
Gastronomie.
Tel. 040-560561

E
www.suedtours.de

Reisebüro Südtours

Unser Team in Hamburg-Harburg
braucht Hilfe! Wir suchen einen
Reisefan mit Büroerfahrung.

Arbeitszeit von 13–18 Uhr.
Tel.: 040-372971 Frau Henkel

F
www.sportmerz.com

Wir brauchen dringend neue
Verkäufer für unsere Filiale im
Stadtzentrum.
Arbeitszeit: Mo–Fr 9–13 Uhr
Festanstellung möglich
Sport Merz
www.sportmerz.com

2

Finden Sie zehn Berufe. Notieren Sie zu fünf Berufen eine typische Tätigkeit. Vergleichen
Sie mit einer Partnerin / einem Partner (ä = ae).

K	O	M	U	F	R	A	T	I	S
B	L	E	H	R	E	R	I	N	A
S	U	B	R	I	L	Z	S	A	R
T	R	A	F	S	H	T	C	N	C
U	K	E	W	E	R	N	H	W	H
D	U	C	H	U	G	B	L	A	I
E	P	K	V	R	I	S	E	L	T
N	K	E	L	L	N	E	R	T	E
T	G	R	A	F	I	K	E	R	K
J	O	U	R	N	A	L	I	S	T

1. *Student* – *lernen*
2. _____ – _____
3. _____ – _____
4. _____ – _____
5. _____ – _____
6. _____ – _____
7. _____ – _____
8. _____ – _____
9. _____ – _____
10. _____ – _____
11. _____ – _____

Auf Geschäftsreise

3 a Ordnen Sie die Wörter zu.

Wortschatz

↑ DB
← 🧳 **Reisezentrum** → WC   S U
← ℹ️ **Information** → 🚪 **Ausgang**

die Durchsage

Fahrplan

abfahren, die Abfahrt

der Waggon

die Bahn

das Gleis

Schalter

der Bahnsteig

ankommen, die Ankunft

> die Fahrkarte • das Gepäck • der Koffer • der Zug •
> das Schild • die Information • der Passagier • der Schaffner

b Beschreiben Sie das Bild mit 6–8 Sätzen.

Ein Mann kauft am Schalter eine Fahrkarte.
Am Gleis 9 kommen …

c Ein Freund aus einer anderen Stadt möchte Sie besuchen.
Lesen Sie die SMS und schreiben Sie eine E-Mail.

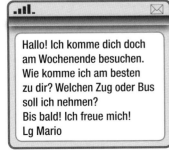

Hallo! Ich komme dich doch
am Wochenende besuchen.
Wie komme ich am besten
zu dir? Welchen Zug oder Bus
soll ich nehmen?
Bis bald! Ich freue mich!
Lg Mario

4

a Sehen Sie die Reservierung an und beantworten Sie die Fragen.

1. Wohin fahren die Personen? _____

2. Um wie viel Uhr beginnt die Zugfahrt? _____

3. Wann kommen die Personen an? _____

4. Welchen Sitzplatz haben die Personen? _____

5. Müssen sie umsteigen? Wenn ja, wann? _____

Erw: Erwachsener	BC: Bahncard	Hbf: Hauptbahnhof	Wg: Wagen	Pl: Platz

Ihre Reiseverbindung und Reservierung Hinfahrt am 04.05.

Halt	Datum	Zeit	Gleis	Fahrt	Reservierung
Berlin-Spandau	04.05.	ab 15:22	3	ICE 790	2 Sitzplätze, Wg. 4, Pl. 61 62, 2 Fenster, Tisch,
Hamburg Hbf	04.05.	an 16:51	6a/b		Nichtraucher, Ruhebereich
Hamburg Hbf	04.05.	ab 19:07	11a/b	ME 81531	
Cuxhaven	04.05.	an 20:50	1		

Ihre Reiseverbindung und Reservierung Rückfahrt am 06.05.

Halt	Datum	Zeit	Gleis	Fahrt	Reservierung
Cuxhaven	06.05.	ab 14:10	1	ME 81522	
Hamburg Hbf	06.05.	an 15:56	12a		
Hamburg Hbf	06.05.	ab 16:06	8a/b	ICE 901	2 Sitzplätze, Wg. 4, Pl. 61 62, 2 Fenster, Tisch,
Berlin Hbf (tief)	06.05.	an 17:46	1		Nichtraucher, Ruhebereich

b Wer sagt das – der Fahrgast (F) oder der Bahn-Mitarbeiter (B)?
Welche Redemittel gehören zusammen?

1. Wo möchten Sie sitzen? Abteil oder Großraumwagen? Gang oder Fenster? _B_   2. Wann fährt der nächste

Zug nach Cuxhaven? ____   3. Hin und zurück. ____   4. Muss ich umsteigen? ____   5. Einfach oder hin und

zurück? ____   6. Wann komme ich in Cuxhaven an? ____   7. Ja, Sie müssen in Hamburg umsteigen. ____

8. Ich möchte zwei Plätze reservieren. ____   9. Im Großraumwagen, mit Tisch, bitte. ____   10. Um 20.50 sind

Sie in Cuxhaven. ____   11. Ja, eine Bahncard 50. ____   12. Der nächste Zug fährt um 15.22 von Gleis 3. ____

13. Haben Sie eine Bahncard? ____

2. und 12.

c Arbeiten Sie zu zweit. Sie sind Fahrgast und Ihr Partner / Ihre Partnerin ist Bahn-Mitarbeiter.
Dann wechseln Sie die Rollen. Die Redemittel in Aufgabe 4b im Kursbuch helfen Ihnen.

Sie sind Fahrgast und wollen am Samstagvormittag nach Dresden fahren.
Sie fragen nach dem Preis und der Verbindung (direkt, mit Umsteigen?).
Sie haben keine Bahncard und möchten gern in einem Abteil am Fenster sitzen.

Sie sind Bahn-Mitarbeiter und geben Auskunft. Züge nach Frankfurt fahren um 17.50, 18.20 und 18.50. Man muss nicht umsteigen. Fragen Sie nach Wünschen für die Reservierung. Eine einfache Fahrkarte mit Bahncard kostet 45,– €.

Sie sind Fahrgast und möchten am Mittwoch nach 18 Uhr nach Frankfurt fahren. Sie fragen nach dem Preis. Müssen Sie umsteigen? Sie haben eine Bahncard und möchten gern am Gang sitzen.

Sie sind Bahn-Mitarbeiter und geben Auskunft. Züge nach Dresden fahren um 15.10, 16.10 und 17.10. Man muss in Leipzig umsteigen. Fragen Sie nach Wünschen für die Reservierung. Eine einfache Fahrkarte kostet 69,– €.

Das Abend-Programm

5

a **David und Andreas unterhalten sich beim Abendessen. Was hat David gemacht? Kreuzen Sie an.**

☐ Souvenirs gekauft   ☐ ein Restaurant besucht   ☐ eine Stadtrundfahrt gemacht
☐ einen Markt besucht   ☐ Museen besucht

◆ Erzähl doch mal, wie war dein letztes Wochenende?
◆ Also, wir waren in Berlin, in einem kleinen Hotel neben einer alten Brücke.
   Unter der Brücke war ein tolles Restaurant, dort waren wir abends immer.
◆ Und was habt ihr am Tag gemacht?
◆ Am Samstag sind wir auf einen tollen Markt gegangen, dort kann man alte Sachen kaufen.
   Na ja, leider sind alte Sachen nicht immer billig ...
◆ Und? Hast du ein lustiges Souvenir gekauft?
◆ Nein. Es hat dann geregnet und wir haben eine große
   Stadtrundfahrt gemacht.
◆ Seid ihr auch in bekannten Museen gewesen?
◆ Nein, aber das ist ein guter Grund für die nächste Reise.

> **Adjektivdeklination**
> Nach *kein* und *mein, dein, ...*
> im Singular wie nach dem
> unbestimmten Artikel.

b **Ergänzen Sie die Tabelle. Kontrollieren Sie mit dem Gespräch aus Aufgabe 5a.**

	maskulin	neutrum	feminin	Plural
Nominativ	ein gut**er** Grund	dein letzt**es** Wochenende	eine groß**e** Rundfahrt	alt**e** Sachen
Akkusativ	einen toll**en** Markt	ein lustig**es** Souvenir	eine alte Brücke	alt**e** Sachen
Dativ	einem tollen Markt	einem klein**en** Hotel	einer alt**en** Brücke	bekannt**en** Museen

c **Schreiben Sie sechs Sätze.**

klug — clever
reich — rich

Ein	- alt	- Frau	- fährt in AKK	ein	- teuer	- Land
Eine	- jung	- Mann	- kommt aus DAT	eine	- interessant	- Stadt
Mein	- hübsch	- Mädchen	- macht Urlaub in	kein	- modern	- Museum
Meine	klug	- Kind	- besucht AKK	keine	- klein	- Hotel
	- lustig	Kellnerin	- geht in AKK		schön	- Wohnung
	- reich	- Lehrer	- zieht um in AKK		- langweilig	Strand

d **Lesen Sie die Mail von Isa und ergänzen Sie die Adjektive. Achten Sie auf den bestimmten oder unbestimmten Artikel.**

Präteritum

Hallo Andreas,
ich hoffe, ihr hattet eine __gute__ (1) Fahrt und einen __schönen__ (2) Abend. Seid ihr   gut, schön
wieder in dem __kleinen__ (3) Hotel? Ich hatte heute einen sehr __ruhigen__ (4) Tag.   klein, ruhig
Die __neue__ (5) Kollegin ist sehr nett und die __wichtige__ (6) Präsentation ist fertig.   neu, wichtig
Am Nachmittag habe ich eine __lange__ (7) Fahrradtour gemacht. Danach habe ich noch   lang
meine __alte__ (8) Freundin Mona getroffen und wir haben einen __lustigen__ (9) Film   alt, lustig
im Kino gesehen. Dann waren wir noch in dem __tollen__ (10) Café am Markt. Wann hast   toll
du morgen eine __kleine__ (11) Pause? Dann ruf mich mal an! Isa   klein

die Fahrt

Perfekt

6

Deutsche Freunde haben Ihnen eine Postkarte geschrieben. Schreiben Sie ihnen eine Mail und beschreiben Sie Ihre letzte Reise. Verwenden Sie möglichst viele Adjektive.

> *Viele Grüße aus Berlin! Das Wetter ist leider schlecht, deshalb waren wir heute in einem neuen Museum. Dort war eine interessante Ausstellung über moderne deutsche Fotografie. Dann waren wir in einem romantischen Restaurant und haben italienische Spezialitäten gegessen. Jetzt gehen wir noch in einen bekannten Club und morgen ist schon alles vorbei ☹.*
> *Bis bald!*
> *Sven und Olivia*

Hallo Sven und Olivia,
danke für eure Karte! _____

_____

_____

_____

_____

_____

_____

Der Traumberuf?

7

a Was gehört zusammen? Ordnen Sie zu.

1. _F_ Nach 17 Jahren Arbeit in einer Firma

2. ___ Frau Bohnsack hatte eine Idee und hat

3. ___ Sie ist sehr kreativ und macht

4. ___ Wenn sie mit ihrer Firma nicht genug Geld verdient,

5. ___ Markus Studer hat eine Ausbildung

6. ___ Er war 25 Jahre als Arzt erfolgreich,

7. ___ Er verdient weniger als im alten Beruf,

A aus alten Möbeln neue Schmuckstücke.

B zum Herzchirurgen gemacht.

C aber er ist glücklich im neuen Beruf.

D eine kleine Firma gegründet.

E aber dann wurde er Fernfahrer.

F wurde Christine Bohnsack arbeitslos.

G kann sie in den alten Beruf zurückgehen.

b Hören Sie die Interviews. Worüber sprechen die Personen? Kreuzen Sie an.

1.40

	spricht über Arbeitszeit	spricht über Ausbildung	spricht über Berufswechsel	sagt, was ihm/ihr gefällt
Vera Lingen				
Alex Graf				
Mila Prokopic				
Stefan Richter				

c *mit* oder *ohne*? Ergänzen Sie auch den Artikel.

1. Vera Lingen spricht bei ihrer Arbeit _mit den_ Kunden.

2. „Ich verdiene mein Geld _____ Fahrrad", sagt der Fahrradbote Alex Graf.

3. Alex Graf kennt alle Straßen in Wien und kann _____ Stadtplan losfahren.

4. Mila Prokopic arbeitet gern _____ netten Kolleginnen im Restaurant.

5. Stefan Richter mag die Schüler, aber er findet die Ferien _____ Schule auch schön.

d **Welche Präposition passt? Kreuzen Sie an.**

1. Alex Graf ist seit ☐ mit ☐ von ☐ elf Jahren Fahrradbote.

2. Er bekommt seine Aufträge nach ☐ von ☐ zu ☐ der Zentrale.

3. Er holt verschiedene Sachen bei ☐ zu ☐ mit ☐ den Kunden ab.

4. Dann fährt er so schnell wie möglich zu ☐ von ☐ bei ☐ dem Empfänger.

5. Er nimmt die Sachen nach ☐ aus ☐ mit ☐ seinem Rucksack und gibt sie ab.

6. Dann spricht er zu ☐ bei ☐ mit ☐ der Zentrale und bekommt einen neuen Auftrag.

7. Am Abend aus ☐ seit ☐ nach ☐ der Arbeit ist er müde und duscht.

8. „Ich brauche ein gutes Fahrrad ohne ☐ für ☐ durch ☐ die Arbeit", sagt Alex Graf.

9. Er hatte schon Unfälle, aber zum Glück immer ohne ☐ für ☐ durch ☐ eine große Verletzung.

e *mit* und *ohne*. **Was machen Sie? Ergänzen Sie die Sätze.**

1. Ich telefoniere fast jeden Tag mit _____ .

2. Ich fahre nie ohne _____ in den Urlaub.

3. Ich gehe oft mit _____ zur Arbeit.

4. Ohne _____ kann ich nicht _____ .

5. Ich habe oft mit _____ Deutsch gelernt.

Grammatik in Sätzen lernen
Merken Sie sich Grammatik in Sätzen, die für Sie wichtig sind, z.B.:
Ohne meinen Hund fühle ich mich allein.   Ich gehe gern **mit meinem** Hund spazieren.

8

a **Ergänzen Sie *sein* oder *werden* in der richtigen Form.**

Das Wetter _____ schön.   Das Wetter _____ schlecht.   Das Wetter _____ schlecht.

Im Jahr 2000: Linda und Ali

_____ Schüler.

2006–2011: Sie _____

an der Uni und wollten

Architekten _____ .

Seit 2012 _____ sie

Architekten und arbeiten

zusammen.

b **Ergänzen Sie *werden* im Präsens und im Perfekt oder Präteritum.**

1. Du hast doch morgen Geburtstag.

   Wie alt _____ du?

   Du hattest ja letzte Woche Geburtstag.

   Wie alt _____ du _____?

2. Maria und Verena studieren Sport.

   Sie _____ später Sportlehrerinnen.

   Vladimir und Vitali haben Sport studiert.

   Nach dem Studium _____ sie Boxer.

3. Wir machen Sommerferien in Norwegen.

   In der Nacht _____ es nicht dunkel.

   Wir waren im Winter in Norwegen.

   Auch am Tag _____ es nicht richtig hell.

9

a **Musikerin – ein Traumberuf? Lesen Sie die Teile und ordnen Sie den Text.**

_____ Wenn Claudia Ferrer sagt, sie bringt die Waren in die Schweiz, dann meint sie das auch so. Alle zwei Wochen fährt sie mit ihrem roten Auto nach Lausanne und liefert Obst, Gemüse, Oliven und andere Produkte direkt an ihre Kunden.

_1_ Ihr Freund musste Cello lernen, und plötzlich wollte Claudia Ferrer auch Cello lernen. Sie war damals sechs Jahre alt, und für die nächsten 25 Jahre war das Cello in ihrem Leben sehr, sehr wichtig.

_____ Später ist sie nach Südfrankreich gegangen und hat dort eine Firma gegründet, Frégumes. Die Firma kauft Früchte und Lebensmittel in sehr guter Qualität und bringt sie in die Schweiz, vor allem in Restaurants.

_____ Nach dem Studium hat Claudia noch mehr geübt als vorher und wurde dann in Köln Orchestermusikerin. Und sie hatte viele Termine und Konzerte.

_____ Und ihr Cello? Claudia Ferrer macht seit ein paar Jahren wieder Musik, nur als Hobby, im Orchester von Fréjus, ihrer Geburtsstadt. „Nur zum Spaß", sagt sie.

_____ An ihrem 31. Geburtstag hat sie entschieden, dass sie etwas anderes machen will. Sie wollte richtig gut kochen lernen und hat in einem feinen Restaurant eine Ausbildung begonnen. So wurde sie Köchin.

_____ Nach dem Abitur hat Claudia an der Musikhochschule Cello studiert.

b ***sein, haben, werden*? Oder ein Modalverb? Ergänzen Sie im Präteritum.**

Mit sechs Jahren _wollte_ (1) Claudia Ferrer Cello lernen, weil ihr Freund auch Cello gespielt hat.

Claudia _____ (2) viel üben, aber sie hat das gern gemacht. Nach ihrem Abitur

_____ (3) sie Unterricht an der Musikhochschule und _____ (4) eine gute Studentin.

Nach ihrem Studium _____ (5) sie Orchestermusikerin. Jetzt _____ (6) sie noch mehr

üben, aber das _____ (7) ihr egal. An ihrem 31. Geburtstag _____ (8) alles ganz anders.

Sie _____ (9) nicht mehr Musikerin sein. Nach ihrer Ausbildung in einem Restaurant

_____ (10) sie eine Zeit lang Köchin.

wollte • sein • werden • wollen • sein • müssen • müssen • sein • haben • sein • werden

c Welche Ausdrücke passen zu diesen Berufen? Was finden Sie an diesen Berufen gut? Ergänzen Sie.

> etwas erklären • bei jedem Wetter draußen sein • mit den Kunden reden •
> (nicht) anstrengend • (nicht) gefährlich • in der Nacht arbeiten • (keine) feste/n Arbeitszeiten haben •
> wenig/viel Abwechslung haben • (nicht) interessant

  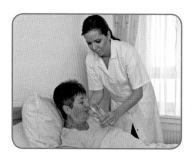

Margret Pung, 26,
Postangestellte

Franz Langer, 41,
Bauarbeiter

Esther Giesen, 28,
Krankenschwester

_____   _____   _____

_____   _____   _____

_____   _____   _____

Das finde ich an diesen Berufen gut:

_____   _____   _____

 d Und Ihr Beruf? Beschreiben Sie.

10 1.41 **a _m_ oder _n_? Was hören Sie am Wortende? Ergänzen Sie.**

1. Frau Linge[m/n] muss de[m/n] Kunde[m/n] bei eine[m/n] Termi[m/n] etwas erkläre[m/n].

2. Herr Dahle[m/n] fährt mit seine[m/n] neue[m/n] Auto i[m/n] diese[m/n] Jahr nach Husu[m/n].

3. Frau Kle[m/n] liebt de[m/n] warme[m/n] Sommer, i[m/n] de[m/n] kalte[m/n] Wintermonaten lebt sie i[m/n] Süde[m/n].

4. Seli[m/n] fährt mit seine[m/n] Freund Achi[m/n] zu seine[m/n] Onkel Hassa[m/n] nach Aache[m/n].

 1.41 **b Hören Sie noch einmal und sprechen Sie nach.**

c Schreiben Sie drei Sätze mit Wörtern mit _m_ oder _n_ am Wortende (mindestens 10 Wörter). Ihr Partner / Ihre Partnerin liest die Sätze vor.

_____

_____

Telefonieren am Arbeitsplatz

11 Auf Deutsch telefonieren. Schreiben Sie je drei Tipps mit diesen Ausdrücken.

> das Ziel überlegen: Was wollen Sie? • wichtige Ausdrücke sammeln und aufschreiben •
> Ihre Fragen oder Ihr Problem notieren • nachfragen, wenn etwas unklar ist • lächeln •
> Namen von Personen notieren • Papier und Stift bereitlegen • freundlich bleiben

Vor dem Telefonieren *Überlegen Sie das Ziel: Was wollen Sie genau?* _____

_____

_____

Beim Telefonieren _____

_____

12 a Ordnen Sie die Gespräche.

1. _C_ Firma Köhne, Sie sprechen mit Verena Achner. Was kann ich für Sie tun?

2. ____ Frau Wenger ist gerade nicht am Platz. Kann ich etwas ausrichten?

3. ____ Ab zwei ist sie bestimmt wieder in ihrem Büro.

4. ____ Aber gern. Also 0221 / 83 14 12. Und die Durchwahl ist 42 21.

5. ____ Bitte, gern, Frau Kuhn. Auf Wiederhören.

A Nein, danke. Ich rufe später noch mal an. Ist Frau Wenger am Nachmittag da?

B Können Sie mir bitte die Durchwahl von Frau Wenger geben?

C Guten Tag! Mein Name ist Alexandra Kuhn. Kann ich bitte mit Frau Wenger sprechen?

D Auf Wiederhören.

E Durchwahl 42 21. Vielen Dank.

1. ____ Guten Tag, Buchhandlung Parnass, Dellmann.

2. ____ Tut mir leid, Herr Felder ist außer Haus. Möchten Sie eine Nachricht hinterlassen?

3. ____ Er soll heute Frau Weiler anrufen, stimmt das?

4. ____ Das richte ich gern aus, Frau Weiler.

A Ja, bitte. Herr Felder soll mich heute zurückrufen.

B Ja, das ist gut. Er kann mich bis fünf unter dieser Nummer erreichen.

C Hier spricht Weiler. Können Sie mich bitte mit Herrn Felder verbinden?

D Vielen Dank. Auf Wiederhören.

b Hören Sie. Sprechen Sie die zweite Stimme.

1.42–43

Wie wir morgen arbeiten

13 Neue Arbeitswelt: Was ist für Sie positiv, was negativ? Kreuzen Sie an. Sprechen Sie dann mit einem Partner / einer Partnerin über Ihre Bewertung.

	+	–		+	–
der Austausch von Wissen	☐	☐	mit dem Laptop mobil arbeiten	☐	☐
keinen festen Job haben	☐	☐	Teamarbeit und Projekte sind wichtig	☐	☐
immer erreichbar sein	☐	☐	Telefon- und Videokonferenzen im Internet	☐	☐
keine festen Arbeitszeiten haben	☐	☐	familienfreundliche Arbeitszeiten	☐	☐

Das kann ich nach Kapitel 5

R1 Hören Sie das Telefongespräch. Notieren Sie die Informationen.

1.44

Mit wem möchte Herr Jeschke sprechen? _____

Wann kann man diese Person erreichen? _____

Wie ist die Durchwahl? _____

	☺☺	☺	😐	☹	KB	AB
💬 Ich kann Telefongespräche führen.	☐	☐	☐	☐	11, 12	11, 12

R2 Arbeiten Sie zu zweit. Sprechen Sie über die Freizeitmöglichkeiten in Bern und wählen Sie ein Angebot für den Abend.

**Tanzfestival „Steps"
im Stadttheater Bern**

Moderner Tanz mit Live-Musik und Diskussion mit dem Publikum

25.04. um 20 Uhr
Eintritt ab 18,– CHF

Live-Konzert

mit der Schweizer Rapperin **Big Zis**

Rockig, exzentrisch und frech!

Mittwoch 25.04. in der Turnhalle im **PROGR**, Eintritt 15,– CHF

Stadtführung bei Nacht
Wandern Sie mit uns zwei Stunden durch das nächtliche Bern. Viele interessante und spannende Geschichten warten auf Sie.
Beginn 20 Uhr vor dem Rathaus
Kosten: 10,– CHF pro Person

	☺☺	☺	😐	☹	KB	AB
💬 Ich kann über Freizeitangebote sprechen.	☐	☐	☐	☐	5a, b, 6	5a

R3 Lesen Sie die Mail von Olivia und antworten Sie ihr kurz.

Überraschung! Ich komme dich am Wochenende endlich besuchen. Ich möchte viel Zeit mit dir haben! Was wollen wir machen? Ich freue mich! Olivia

	☺☺	☺	😐	☹	KB	AB
✏ Ich kann kurze Texte über Orte und Erlebnisse schreiben.	☐	☐	☐	☐		6

Außerdem kann ich	☺☺	☺	😐	☹	KB	AB
🎧 ... Gespräche beim Fahrkartenkauf verstehen.	☐	☐	☐	☐	3b–d	4b
💬 ... ein Gespräch am Fahrkartenschalter führen.	☐	☐	☐	☐	4b	4c
💬 ... eine Person vorstellen.	☐	☐	☐	☐	7b	
💬✏ ... über Berufswünsche und Traumberufe sprechen und schreiben.	☐	☐	☐	☐	8c, 9	9d
💬 ... über die Arbeitswelt sprechen.	☐	☐	☐	☐	13a, c	13b
📖🎧 ... Texte mit Informationen über Menschen und Berufe verstehen.	☐	☐	☐	☐	1a, b, 7a, b	1, 7a, b
📖 ... Anzeigen zum Freizeitangebot verstehen.	☐	☐	☐	☐	5a	
📖 ... Stellenanzeigen verstehen.	☐	☐	☐	☐		1b
📖 ... einen längeren Lesetext über Arbeit verstehen.	☐	☐	☐	☐	7a, 13b	9a
✏ ... die Anreise zu meiner Wohnung beschreiben.	☐	☐	☐	☐		3c

Lernwortschatz Kapitel 5

rund ums Berufsleben

der Anwalt, Anwälte _____

der Friseur, -e _____

der Grafiker, – _____

der Tischler, – _____

der Vermieter, – _____

der Kamm, Kämme _____

die Schere, -n _____

föhnen _____

auf Geschäftsreise

die Abfahrt, -en _____

das Abteil, -e _____

die Auskunft, Auskünfte _____

der Bahnsteig, -e _____

die Durchsage, -n _____

der Fahrgast, -gäste _____

der Fahrplan, -pläne _____

der Gang (hier nur Singular) _____

ein Platz am Gang _____

die Geschäftsreise, -n _____

das Gleis, -e _____

Achtung auf Gleis 2, der Zug fährt ein! _____

_____

der Großraumwagen, – _____

die Hinfahrt, -en ↔ die Rückfahrt, -en _____

_____

die Information (hier nur Singular) _____

Fragen Sie an der Information! _____

_____

die Klasse, -n _____

erster/zweiter Klasse fahren _____

_____

der Platz, Plätze _____

der (Fahrkarten)Schalter, – _____

das Schild, -er _____

der Waggon, -s _____

an|kommen _____

reservieren _____

direkt _____

hin und zurück _____

Abend-Programm

die Ermäßigung, -en _____

die Sehenswürdigkeit, -en _____

der Senior, -en _____

die Seniorin, -nen _____

genießen _____

aktuell _____

bekannt _____

früher _____

geschlossen _____

großartig _____

hübsch _____

verrückt _____

zahlreich _____

der Traumberuf

der Anfang, Anfänge _____

die Autobahn, -en _____

der Berufswechsel, – _____

die Freiheit (hier nur Singular) _____

der Lastwagen, – (kurz: LKW, -s) _____

der Traum, Träume _____

der Traumberuf, -e _____

bereuen _____

erfüllen _____

sich einen Traum erfüllen _____

_____

gründen _____

tauschen _____

arbeitslos _____

erfolgreich _____

kreativ _____

Tipps für das Telefonieren

das Blatt, Blätter _____

ein Blatt Papier _____

die Durchwahl, -en _____

die Nachricht, -en _____

die Ruhe (Singular) _____

aus|richten _____

Bitte richten Sie ihm das aus. _____

_____

aus|schalten _____

hinterlassen _____

eine Nachricht hinterlassen _____

sich konzentrieren _____

lächeln _____

verbinden _____

Verbinden Sie mich bitte mit ihm. _____

vergessen _____

zurück|rufen _____

deutlich _____

Sprechen Sie bitte deutlicher! _____

wichtig für mich

_____

_____

_____

die Arbeitswelt von morgen

der Austausch (Singular) _____

die Balance (Singular) _____

die Fähigkeit, -en _____

die Flexibilität (Singular) _____

die Position, -en _____

die Sicherheit (Singular) _____

die Teamarbeit (Singular) _____

die Internetverbindung, -en _____

betreuen _____

existieren _____

frei|haben _____

sich qualifizieren _____

zurecht|kommen _____

erreichbar _____

Man ist immer erreichbar. _____

_____

freiwillig _____

selbstständig _____

andere wichtige Wörter und Wendungen

eigen _____

Ich habe mein eigenes Büro. _____

_____

plötzlich _____

Wer arbeitet dort? Notieren Sie jeweils zwei Berufe.

Werkstatt: _____   Krankenhaus: _____

Büro: _____

Beschreiben Sie den Bahnhof in Ihrer Heimatstadt. Was gibt es dort?

_____

_____

Ganz schön mobil

1

Was ist das Problem? Ordnen Sie die Sätze zu.

A ___

B ___

C ___

D ___

E ___

F ___

1. Der Motor macht Probleme.
2. Lucas muss an der roten Ampel warten.
3. Lucas findet keinen Parkplatz.

4. Der Reifen ist kaputt.
5. Die Polizei kontrolliert Lucas.
6. Lucas steht im Stau.

2

Hören Sie die Dialoge. Was ist richtig? Kreuzen Sie an.

1.45–46

1. Maria kommt zu spät, weil …

   [a] der Bus zu voll war.

   [b] der Bus Verspätung hatte.

   [c] in der Stadt ein Stau war.

2. Tom ist nicht pünktlich, weil …

   [a] er keinen Parkplatz gefunden hat.

   [b] das Navi nicht funktioniert hat.

   [c] so viel Verkehr war.

3

PRO   CON

a Hören Sie. Welches Verkehrsmittel benutzen die Leute? Welche Vor- und Nachteile nennen sie? Notieren Sie Stichpunkte.

1.47–49

Person 1	Person 2	Person 3
Verkehrsmittel: S-Bahn	Verkehrsmittel: das Fahrrad	Verkehrsmittel: Auto
Vorteile: nicht teuer praktisch	Vorteile: schnell ist nicht teuer ist	Vorteile: wenn sie will radio höre
Nachteile: nicht stehe in Stau	Nachteile: gefährlich regnet schnee schnell	Nachteile: Ampfel stehen radio no when she wants

cheaper
nicht
stau

b Was passt? Ordnen Sie zu und schreiben Sie jeweils einen Beispielsatz.

1 _D_ eine Fahrkarte   A stehen
2 ____ zu spät   B nehmen
3 ____ den Anschluss   C gehen
4 ____ das Fahrrad   D kaufen
5 ____ zu Fuß   E kommen
6 ____ im Stau   F verpassen

Ich kaufe immer eine Fahrkarte für den ganzen Monat.

Unterwegs zu …

4 a Sehen Sie die Bilder an. Was wollen die Leute wissen? Notieren Sie pro Person zwei W-Fragen.

Die Frau auf Bild 1: _Was kostet eine Fahrkarte nach Köln?_
Wann fährt der Zug ab? ~~Was~~ Wann kommt der Zug an?
Das Kind auf Bild 2: _Das Kind fragt, wann Essen wir Mittag. Das Kind_
fragt, wann Oma und Opa ankommen.
Der Mann auf Bild 3: _____

b Tauschen Sie das Buch mit Ihrem Nachbarn / Ihrer Nachbarin. Formulieren Sie aus den Fragen Ihres Nachbarn / Ihrer Nachbarin indirekte Fragesätze.

Die Frau möchte wissen, wann der Zug nach Köln fährt.
Das Kind fragt, …
Der Mann möchte wissen, …

5 Arbeiten Sie zu zweit. Formulieren Sie eine Frage höflicher. Ihr Partner / Ihre Partnerin antwortet. Dann fragt er/sie.

polite, netter
Könnten Sie mir sagen.., … VERB AT END.

Ich möchte gern wissen, …   Weißt du, …   Kannst du mir sagen, …

Wie spät ist es?
Wo ist die nächste Bushaltestelle?
✓Wann fährt der nächste Bus ab?
✓Wo kann ich Busfahrkarten kaufen?

✓ Wie viel kostet eine Busfahrkarte?
✓ Wie lange dauert die Fahrt von der Sprachschule bis zum Bahnhof?
✓ Wo kann ich einen Fahrplan bekommen? …

Informationschalter   _Könntest du…_

"Könnten" is politer than "kann"

Schnell zum Ziel

6 **a** **Lesen Sie die E-Mail. Welche Bilder passen zu welcher Textstelle?**

Hallo Sina,

stell dir vor, gestern ist mir was ganz Blödes passiert. Lena wohnt ja seit einem halben Jahr auf dem Land, ungefähr 20 Kilometer von hier. Ich wollte sie jetzt endlich mal besuchen. ☐

Der Weg ist ziemlich kompliziert. Kein Problem, habe ich gedacht. Ich habe ja seit 3 Wochen dieses neue Navi. ☐

Am Anfang ist auch alles gut gegangen, aber irgendwann sind die Straßen immer kleiner und enger geworden. Ich habe natürlich gedacht, das Navi weiß sicher, was es tut ☺. Und dann bin ich in einen Wald gekommen. Ich habe mich natürlich gewundert, ob das richtig ist. ☐

Aber ich bin immer weiter gefahren. Und dann konnte ich nicht mehr weiterfahren! Ich habe also Lena angerufen, die Situation erklärt und gefragt, ob sie mir helfen kann. Lena hat dann ihren Nachbarn geschickt und der hat mich aus dem Wald geholt. ☐

So peinlich! Das nächste Mal nehme ich wieder eine Landkarte mit …

Viele Grüße

Andi

b **Was fragen die Leute? Ergänzen Sie die Dialoge.**

> Kommen wir rechtzeitig an? • War das da eine Radarkamera? •
> Gibt es hier in der Nähe eine Tankstelle? • Ist das der richtige Weg?

1. ◆ Ich bin gespannt, _ob …_____.

   ◆ Ich glaube nicht. Es ist schon kurz vor zwei.

   ◆ Dann kommen wir ja viel zu spät!

2. ◆ Mist! Ich frage mich, _____.

   ◆ Natürlich! Das wird teuer! Warum musst du auch immer so schnell fahren!

3. ◆ Weißt du, _____?

   ◆ Oh, nein! Hast du wieder nicht getankt?

   ◆ Ich habe es vergessen.

4. ◆ Weißt du, _____?

   ◆ Ich glaube nicht. Mach doch mal das Navi an.

7

a **Nach Hause fahren. Was sagt der Vater? Schreiben Sie und hören Sie zur Kontrolle.**

1.50

Wann kommt sie?

Bleibt sie das ganze Wochenende?

Was möchte sie essen?

Fährt sie mit dem Auto?

Hat sie eine warme Jacke eingepackt?

1. ◆ Du, Maja, Mama möchte wissen, _____.
   ◇ Am Freitag.

2. ◆ Mama fragt auch, _____.
   ◇ Nein, mit dem Zug. Ich komme um 18.09 Uhr an.

3. ◆ Gut. Am Wochenende wird es kalt sein. Mama macht sich Sorgen, _____

   _____.

   ◇ Ja, habe ich. Ist doch klar.

4. ◆ Mama interessiert, _____.
   ◇ Am liebsten ihre gute Gemüsesuppe.

5. ◆ Mama fragt, _____.
   ◇ Ja, ich fahre erst am Montag wieder zurück.
   ◆ Das ist schön. Und Maja, Mama will auch wissen, ...

b **Ergänzen Sie.**

◆ Fährst du am Wochenende mit nach Bonn?

◆ Ich weiß noch nicht, _____ (1) ich Zeit habe. Habt ihr schon entschieden,

   _____ (2) ihr mit dem Auto oder mit dem Zug fahrt?

◆ Ja, wir fahren mit meinem Auto.

◆ Und wisst ihr, _____ (3) ihr schlafen wollt?

◆ Ja, ich kenne ein günstiges Hotel.

◆ Und weißt du, _____ (4) eine Nacht dort kostet?

◆ 50 Euro pro Person.

◆ Weißt du, _____ (5) es auf der Autobahn viele Baustellen gibt?

◆ Ich nicht. Aber mein Navi weiß, _____ (6) Baustellen sind. Warte mal kurz ...

··
wo • ob • wie viel • ob • ob • wo • ob
··

Wortschatz **C** **Verkehrsmittel. Was passt wo? Arbeiten Sie auch mit dem Wörterbuch. Manche Wörter passen mehrmals. Welche Wörter kennen Sie noch? Ergänzen Sie und vergleichen Sie mit Ihrem Partner / Ihrer Partnerin.**

> das Kfz • der Abflug • die Garage • der Pkw • der Wagen • die Versicherung • das Kennzeichen •
> abfliegen • rückwärts fahren • bremsen • die Reparatur • reparieren • landen • der Motor • tanken

Auto	Flugzeug	Zug

d **Ergänzen Sie die Sätze mit Wörtern aus Aufgabe 7c.**

1. ◆ Mein Auto fährt nicht. Ich glaube, der

   _____ ist kaputt.

   Die _____ wird bestimmt teuer.

   ◇ Ich kenne eine gute Werkstatt. Die haben da mein

   Auto auch ganz schnell _____.

2. ◆ Der Flug dauert ja lange, wann sind wir endlich da?

   ◇ Gleich, wir _____ in einer Viertelstunde.

3. ◆ Und was ist, wenn ich im Urlaub einen Unfall habe?

   ◇ Na ja, normalerweise bezahlt das die

   _____.

4. ◆ Da hinten ist ein Parkplatz.

   ◇ Da muss man aber _____

   und das kann ich nicht so gut.

   ◆ Okay, dann suchen wir weiter.

5. ◆ Was? Du hattest einen Unfall? Was ist denn passiert?

   ◇ Na ja, plötzlich ist ein Auto von rechts gekommen

   und ich konnte nicht so schnell _____.

   Aber zum Glück ist niemand verletzt.

Wörter lernen
Lernen Sie regelmäßig neue Wörter, aber nicht zu viele auf einmal.
Pro Tag zehn neue Wörter sind genug.

hard "ch": a, o, u, au

der Bach = kleiner Fluss
die Bäche   *soft "ch"*

So findest du zu mir

8

a Hören Sie die Wegbeschreibung. Zeichnen Sie den Weg in den Plan.

1.51

b Sehen Sie noch einmal auf den Plan in 8a. Beschreiben Sie den Weg von der U-Bahn zur Post.

durch • um ... herum • entlang • gegenüber • bis zu • an ... vorbei

DAT   DAT   DAT
AK   AK   SA   AK

Gehen Sie von der U-Bahn bis zu ...

use these

c Was macht die Katze? Schreiben Sie eine kleine Geschichte.

gegenuber   durch   bis zu   an vorbei   um herum

das Fenster • entlanggehen • der Kühlschrank • vorbeispazieren • gegenüber • um ... herum gehen • sich setzen • springen • auf

d Spielen Sie zu zweit. Geh mal ...!
A sagt B, wohin er/sie gehen soll.
Tauschen Sie dann die Rollen.

Geh am Fenster entlang, um den Tisch herum und ...

9

a Schwierige Wörter: Lesen Sie diese Wörter laut. Nehmen Sie sich mit Ihrem Handy auf.
Hören Sie dann zur Kontrolle und vergleichen Sie.

1.52

Kraftfahrzeug, Personenkraftwagen, Führerscheinprüfung, Versicherung,
Bushaltestelle, Fahrkartenschalter, Zugfahrkarte, Radarkamera

b Hören Sie noch einmal und sprechen Sie nach.

1.52

c Schreiben Sie drei Sätze mit mindestens je einem Wort aus Aufgabe 9a. Lesen Sie Ihre Sätze vor.

Nach der Führerscheinprüfung …

Ein Auto für viele

10 a Welche Anzeige ist für wen interessant? Ordnen Sie zu. Eine Anzeige bleibt übrig.

1. Mira will ein Wochenende in Berlin verbringen. Die Reise mit dem Zug ist ihr zu teuer, aber sie hat kein Auto. _____

2. Eine Freundin hat Geburtstag und Sie möchten sie überraschen. Sie ist gern mit Freunden draußen und sie fährt gern Rad. _____

3. Nina aus Berlin macht ein Praktikum in München. In Berlin macht sie alles mit dem Fahrrad. Auch in München will sie mobil sein. _____

4. Roland und seine Freundin Paula fahren gerne U-Bahn und Bus, aber manchmal brauchen sie ein Auto – z. B. für Ausflüge am Wochenende oder für große Einkäufe. _____

5. Vier Freunde wollen am Wochenende zusammen einen Ausflug in die Berge machen. _____

Call a bike

Der schnelle Weg durch die Stadt – Sie möchten in der Stadt flexibel und mobil sein?
Kein Problem: Die Räder von **Call a Bike** stehen 24 Stunden für Sie bereit.
Einfach anmelden, ein Fahrrad ausleihen, losfahren. Wenn Sie das Rad nicht mehr brauchen, schließen Sie es ab und melden sich kurz übers Handy.

A

Mitfahrzentrale.de

hilft Ihnen seit über 15 Jahren bei der Suche nach Mitfahrgelegenheiten. Über 700.000 Kunden finden hier aktuelle Mitfahrgelegenheiten. Nutzen auch Sie den Service von ***Mitfahrzentrale.de*** *und sparen Sie Geld!*

D

Pendlerzentrale

Fahren auch Sie jeden Tag mit dem Auto zu Ihrem Arbeitsplatz? Wollen Sie sich die immer höheren Kosten für die Fahrten mit anderen teilen? Dann ist die **Pendlerzentrale** das Richtige für Sie! Nutzen Sie die **Pendler-Zentrale** und bieten Sie einen Mitfahrservice an – deutschlandweit und kostenlos!

B

Fahrradspaß für Sieben

Mieten Sie unser **Conferencebike**!
Machen Sie zusammen mit sechs Freunden oder Kollegen einen Fahrradausflug auf einem Fahrrad. Sie sitzen im Kreis und radeln wie am Konferenztisch – ein Teamleiter lenkt und bremst das Rad.

E

Zusammen günstig in die Berge, in die Stadt

Mit dem Bayern-Ticket ab 29,– EUR können bis zu fünf Personen einen Tag lang durch ganz Bayern fahren. Das Ticket gilt montags bis freitags in der Zeit von 09.00 Uhr bis 03.00 Uhr am Folgetag; an Samstagen, Sonntagen und Feiertagen sowie am 15. August bereits ab 00.00 Uhr.

C

Flinkster

Sie wohnen in der Stadt und brauchen eigentlich kein eigenes Auto? Sie wollen aber jederzeit günstig und flexibel ein Auto in Ihrer Nähe nutzen können? Wir haben die Lösung: Buchen Sie Fahrzeuge aller Art. Melden Sie sich an und fahren Sie mit Ihrer Kundenkarte einfach los.

F

b **Eine Meinung äußern. Ordnen Sie die Redemittel in die Übersicht.**

> Ich finde das gut, weil ... • ... ist sehr interessant. • Dagegen spricht, dass ... • ... spricht dafür. •
> Für mich ist das nicht so wichtig, weil ... • Ich bin dagegen, weil ... • Ich finde ... nicht so gut. •
> Ich bin der Meinung, dass ... wichtig ist. • Ich denke, das ist richtig. • Ich finde, dass ... unwichtig ist. •
> Ich glaube, ... funktioniert nicht. • Ich meine, dass ... sehr wichtig ist.

positiv	negativ

 c **Welche Anzeige aus 10a ist für Sie interessant? Welche interessiert Sie nicht?**
Begründen Sie Ihre Meinung.

_____

_____

_____

Der Weg zur Arbeit in D-A-CH

11 a **Lesen Sie den Text über einen Pendler. Beantworten Sie die Fragen.**

1. Wie viele Kilometer fährt Hajo W. jeden Tag?
2. Wie lange braucht er dafür?
3. Warum wohnt er so weit weg von seiner Arbeit?
4. Welche Probleme gibt es?
5. Was findet er an der Situation gut?

Im Sommer hat Hajo W. eine neue Arbeitsstelle gesucht. Er hatte ein sehr gutes Angebot in Frankfurt, 30 Minuten Fahrzeit von zu Hause zur Arbeit. Aber der interessantere und bessere Job war in einer Kleinstadt, in Neuwied, 130 km von seinem Wohnort entfernt. Er hat sich für diesen Job entschieden. Jetzt fährt er fünfmal in der Woche mit der Bahn von Frankfurt nach Neuwied und wieder zurück. Eine Fahrt dauert fast zwei Stunden.

„Das Problem ist nicht die Zeit, sondern der Zeitdruck. Ich muss pünktlich gehen, denn sonst verpasse ich meinen Zug und dann muss ich eine Stunde warten. Und im Winter sind die Züge oft nicht pünktlich. Ich stehe dann immer noch früher auf, aber oft komme ich trotzdem zu spät zur Arbeit."

Aber Hajo W. und seine Familie möchten auf keinen Fall aus Frankfurt wegziehen. Sie haben dort ein eigenes Haus, die Kinder gehen in die Schule und haben dort ihre Freunde.
Auch die Freunde von Hajo und seiner Frau wohnen hier.
Aber etwas Gutes hat das Pendeln schon: „Ich habe Zeit zum Lesen. Das finde ich gut – ich lese im Zug Zeitung und Bücher. Und manchmal nutze ich die Zeit im Zug auch für meine Arbeit."

b Was ist für Sie wichtiger: ein guter Job oder ein Job nicht weit von zu Hause? Schreiben Sie mindestens fünf Sätze. Begründen Sie Ihre Meinung.

12 a Ein Hörrätsel. Hören Sie die Geräusche. Welche Verkehrsmittel hören Sie?

🔘 1.53

1. _____   4. _____

2. _____   5. _____

3. _____   6. _____

b Wählen Sie drei Verkehrsmittel aus Aufgabe 12a und beschreiben Sie sie. Ihr Partner / Ihre Partnerin rät.

> *Es ist groß und fährt unter der Stadt. Viele Leute passen in das Verkehrsmittel, Es fährt in einer Stadt. ...*

Mit dem Fahrrad auf Reisen

13 a Sehen Sie eine Weltkarte an. Messen Sie die Entfernung Berlin–Saratov. Finden Sie eine Stadt, die von Ihrem Kursort genauso weit weg ist wie Saratov von Berlin.

🔘 1.54

b Hören Sie noch einmal das Interview mit Herrn Brumme. Welche Antwort ist richtig?

1. Wie oft hat er die Fahrt schon gemacht?
   - [a] 35-mal
   - [b] 5-mal
   - [c] 14-mal

2. Was nimmt er mit auf die Reise?
   - [a] Bücher, Fahrradkleidung und Kleidung zum Wechseln
   - [b] sein teures Fahrrad und Werkzeug
   - [c] ein E-Book und wenig Kleidung

3. Wie viele Kilometer fährt er durchschnittlich am Tag?
   - [a] 70 km
   - [b] 140 km
   - [c] 370 km

4. Was findet er auf der Tour am schönsten?
   - [a] den Wald und die Natur
   - [b] den Kontakt zu den Menschen und die Gewitter in der Steppe
   - [c] die Freiheit und die Bewegung

14 Was nimmt Christoph D. Brumme aus Aufgabe 14b im Kursbuch auf seine Reisen mit? Lösen Sie das Rätsel (ü = ue).

1. braucht man, wenn etwas kaputt ist

2. Kleidungsstück für den Kopf

3. Dinge zum Anziehen

4. eine Art Decke für unterwegs

5. ein kleines Haus aus Stoff

6. ein Dokument für die Reise

7. ein Papier, auf dem man sehen kann, wo man ist

8. ein sehr scharfer Gegenstand, mit dem man schneiden kann

9. eine Art Matratze zum Schlafen

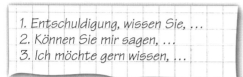

Das kann ich nach Kapitel 6

R1 Sehen Sie das Bild an. Was fragt die Frau?
Schreiben Sie drei Sätze.

> 1. Entschuldigung, wissen Sie, …
> 2. Können Sie mir sagen, …
> 3. Ich möchte gern wissen, …

		☺☺	☺	☺	☹	KB	AB
💬	Ich kann Informationen erfragen.	☐	☐	☐	☐	4–5	4–5

R2 Lesen Sie die E-Mail und antworten Sie Mara.

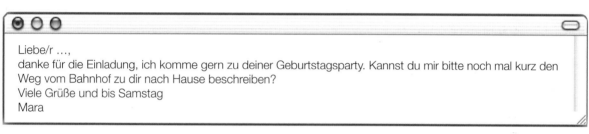

Liebe/r …,
danke für die Einladung, ich komme gern zu deiner Geburtstagsparty. Kannst du mir bitte noch mal kurz den Weg vom Bahnhof zu dir nach Hause beschreiben?
Viele Grüße und bis Samstag
Mara

		☺☺	☺	☺	☹	KB	AB
📖ⓒ✏	Ich kann eine Wegbeschreibung verstehen und geben.	☐	☐	☐	☐	8	8

R3 Lesen Sie die Anzeige.
Wie finden Sie das Angebot?
Schreiben Sie einen kurzen Text
und begründen Sie Ihre Meinung.

> ▶ **Das rote** Mobil-Rad ◀
>
> **?** Sie sind zu Besuch in der Stadt? Plötzlich ist das Wetter schön?
> Die U-Bahn fährt nicht? – Jetzt ein Fahrrad haben und losfahren?
> **!** Kein Problem: Unsere roten Fahrräder finden Sie überall in der Stadt.
> Einfach anrufen, anmelden und losfahren. (Die Telefonnummer steht
> auf den Rädern.)

		☺☺	☺	☺	☹	KB	AB
💬✏	Ich kann meine Meinung ausdrücken.	☐	☐	☐	☐	10c–d	10b–c, 11b

Außerdem kann ich	☺☺	☺	☺	☹	KB	AB
📖 … einfache Zeitungsartikel und Anzeigen verstehen.	☐	☐	☐	☐	10a–b	10a, 11a
📖 … einen kurzen Reisebericht verstehen.	☐	☐	☐	☐	14b	6a
ⓒ … ein Interview mit einem Reisenden verstehen.	☐	☐	☐	☐	13	13
💬 … über Verkehrsmittel und Reisen sprechen.	☐	☐	☐	☐	3, 7, 14	3, 7a–c
💬 … Unsicherheit ausdrücken.	☐	☐	☐	☐	6–7	6b–7
💬📖 … über den Weg zur Arbeit sprechen und einen Text darüber verstehen.	☐	☐	☐	☐	11	11a
💬 … eine Statistik beschreiben.	☐	☐	☐	☐	12	
✏ … eine kurze Geschichte schreiben.	☐	☐	☐	☐		8c
✏ … ein Verkehrsmittel beschreiben.	☐	☐	☐	☐		12b

Lernwortschatz Kapitel 6

mobil sein

der Abflug, Abflüge _____

die Ampel, -n _____

der Anschluss, Anschlüsse _____

die Baustelle, -n _____

die Richtung, -en _____

die Strecke, -n _____

der Verkehr (Singular) _____

das Verkehrsmittel, – _____

die Verspätung, -en _____

Verspätung haben _____

das Ziel, -e _____

ab|fliegen _____

dauern _____

Das dauert ewig! _____

erreichen _____

den Zug erreichen _____

landen _____

parken _____

pendeln _____

verpassen _____

besetzt _____

Hier ist schon besetzt! _____

rund ums Auto

das Benzin (Singular) _____

die Garage, -n _____

das Kfz, – (= das Kraftfahrzeug, -e) _____

das Kennzeichen, – _____

der Motor, -en _____

das Navi, -s (= das Navigationsgerät, -e) _____

die Panne, -n _____

eine Panne haben _____

das Parkhaus, -häuser _____

der Parkplatz, -plätze _____

der Pkw, (-s) (= der Personenkraftwagen) _____

der Reifen, – _____

die Reparatur, -en _____

der Stau, -s _____

im Stau stehen _____

die Tankstelle, -n _____

der Wagen, – _____

die Versicherung, -en _____

bremsen _____

rückwärts/vorwärts fahren _____

_____

tanken _____

einen Weg beschreiben

der Ausgang, Ausgänge _____

der Kinderspielplatz, -plätze _____

_____

die Kreuzung, -en _____

der Weg, -e _____

ab|holen _____

an ... vorbei _____

am Parkplatz vorbei gehen _____

bis zu ... _____

entlang _____

immer den Fluss entlang _____

um ... herum _____

Gehen Sie um die Kirche herum. _____

_____

weit _____

zu Fuß _____

ein Auto für viele

das Angebot, -e _____

die Gebühr, -en _____

das Mitglied, -er _____

der Vertrag, Verträge _____

leihen _____

mieten _____

unterschreiben _____

flexibel _____

auf Reisen

die Begegnung, -en _____

das Ersatzteil, -e _____

die Fahrradtour, -en _____

die Landkarte, -n _____

das Notizbuch, -bücher _____

der Pass, Pässe _____

Kann ich Ihren Reisepass sehen? _____

_____

die Wäsche (Singular) _____

das Werkzeug, -e _____

die Meinung sagen

der Nachteil, -e ↔ der Vorteil, -e _____

_____

Ein Vorteil ist, dass ... _____

Ich bin der Meinung, dass ... _____

_____

meinen _____

wichtig für mich

_____

_____

_____

Welche Verkehrsmittel gibt es in Ihrer Stadt?

_____

_____

Ergänzen Sie ein passendes Verb.

den Bus _____

mit dem Zug _____

zu Fuß _____

denken _____

Ich bin gegen/für ... _____

andere wichtige Wörter und Wendungen

im Durchschnitt _____

die Kamera, -s _____

der Schlüssel, – _____

der Wohnungsschlüssel, – _____

einschalten _____

funktionieren _____

installieren _____

sich kümmern (um) _____

einfach _____

einverstanden _____

Bist du einverstanden? _____

kühl _____

täglich _____

unmöglich ↔ möglich _____

wach _____

Ich bin schon lange wach. _____

_____

außerdem _____

übermorgen _____

im Stau _____

einen Parkplatz _____

Hören: Teil 2 – Radioansagen verstehen

1 **Was können Sie schon? Kreuzen Sie an:**

Ich kann ...

☐ ... die wichtigsten Informationen in Radioansagen verstehen.

☐ ... Uhrzeiten und Ortsangaben verstehen.

> Sie hören in der Prüfung (Hören: Teil 2) fünf kurze Radioansagen. Zu jeder Ansage gibt es eine Aufgabe mit drei Möglichkeiten.

2

a **Hören und lesen Sie den Text und markieren Sie die richtige Antwort: a, b, oder c.**

🔘 1.55

Wie wird das Wetter in Norddeutschland?

Und nun zum Wetter: Im Süden ist es das ganze Wochenende kühl und bewölkt. Erst am Sonntagabend wird es schöner. Im Westen und Norden Deutschlands scheint an beiden Tagen die Sonne und es wird warm. Im Osten regnet es am Samstag noch, aber am Sonntag bleibt es trocken.

a kalt
b regnerisch
c sonnig

> **Beim Hören**
> In der Ansage hören Sie oft alle drei Möglichkeiten. Achten Sie genau auf die Frage: Welche Antwort passt zu der Frage?

b **Wo passen die anderen Antworten? Suchen Sie die passende Textstelle und markieren Sie in 2a.**

3 **Die Prüfungsaufgabe**

> Teil 2
> Sie hören fünf Informationen aus dem Radio.
> Zu jedem Text gibt es eine Aufgabe.
> Kreuzen Sie an: a, b oder c.
> Sie hören jeden Text einmal.
>
> Beispiel
>
> **0** **Wann beginnt das Konzert?**
>
> 🔘 1.56
> a Um 13 Uhr.
> b Um 14 Uhr.
> ☒ Um 16 Uhr.
>
> **1** **Was ist auf der A7?**
>
> 🔘 1.57
> a Eine Baustelle.
> b Ein Unfall.
> c Stau.
>
> **2** **Wie wird das Wetter morgen Vormittag?**
>
> 🔘 1.58
> a Es regnet.
> b Die Sonne scheint.
> c Es gibt ein Gewitter.

3 Wo findet man sicher einen Parkplatz?

1.59
- [a] Am Eingang Nord.
- [b] Am Eingang Ost.
- [c] Am Eingang West.

4 Was kann man gewinnen?

1.60
- [a] Ein Buch.
- [b] Eine CD.
- [c] Eine Reise.

5 Wann gibt es Filmtipps?

1.61
- [a] Um 16.30 Uhr.
- [b] Um 16.45 Uhr.
- [c] Um 17.05 Uhr.

Schreiben: Teil 1 – Ein Formular ausfüllen

4 Was können Sie schon? Kreuzen Sie an:

Ich kann ...
- [ ] ... einfache Formulare ausfüllen.
- [ ] ... Informationen in verschiedenen Texten finden.

> Sie ergänzen in der Prüfung (Schreiben: Teil 1) ein Formular mit Lücken. Die fünf Informationen finden Sie in drei Texten.

5 Lesen Sie die Texte und sammeln Sie die Informationen in der Tabelle.

Ihr Nachbar John Adams fährt viel mit dem Zug und braucht für das nächste Jahr eine Bahncard. Er möchte in der 2. Klasse und möglichst günstig fahren.

Nachname: Adams
Vorname: John
geb.: 23.08.1974
in: Elmira, USA
Beruf: Ingenieur
Straße: Fuggerstraße 21
PLZ, Ort: 86150 Augsburg

John Adams wohnt seit drei Jahren in Deutschland und arbeitet für eine amerikanische Firma. Er besucht Kunden in ganz Deutschland und braucht ab dem 01. Januar eine Bahncard 50. Er ist verheiratet, aber seine Frau braucht keine Bahncard. Die Bahncard zahlt er selbst.

Maestro-Card
DEUTSCHE BANK
Bankleitzahl 700 700 24
Kontonummer 443378

John Adams
gültig bis **Januar 2019**

Persönliche Angaben (Geburtstag, Familienstand, Nationalität, ...)	Kontaktinformationen (Adresse, Telefonnummer, E-Mail, ...)	Zeitangaben (Beginn, Dauer, ...)	passende Informationen für diese Situation

6 Die Prüfungsaufgabe

Ihre Freundin Sofia Sertorio möchte ab dem Wintersemester ein Jahr in Leipzig studieren. Sie sucht noch ein Zimmer und meldet sich in einem Studentenwohnheim an.
Schreiben Sie die fünf fehlenden Informationen über Sofia in das Formular.

Sofia studiert seit zwei Jahren in Stuttgart Physik und ist im Sommer zu Hause in Italien. Ab September möchte sie in Leipzig studieren und allein in einem Zimmer im Wohnheim wohnen. Die Lage ist ihr egal. Sie kann dafür 250,– € ausgeben.

Bach-Studentenwohnheim Leipzig

Bitte ergänzen Sie Ihre persönlichen Angaben im Formular. Wir bearbeiten Ihre Anmeldung so schnell wie möglich.

Vorname: _Sofia_

Nachname: _Sertorio_

Geburtsdatum: _____ (1)

Geschlecht: [X] weiblich [ ] männlich

Familienstand: [X] ledig [ ] verheiratet

Straße: _Via Dante 32_

PLZ, Ort: _____ _Genua_ ___ (2)

Telefonnummer _00-39-010-545352_

Studienbeginn: _Wintersemester 2013_

Studienfach: _____ (3)

Wohntyp: [ ] egal [ ] WG

[ ] Einzelzimmer [ ] Doppelzimmer (4)

Miethöhe: _maximal 250,– Euro_

Mietbeginn: _____ (5)

Lage: [ ] zentral [ ] Stadtgebiet
[X] egal

Lesen: Teil 2 – Eine Zeitungsmeldung verstehen

7 a Was können Sie schon? Kreuzen Sie an:

Ich kann ...

[ ] ... wichtige Informationen aus kurzen Zeitungstexten verstehen.

[ ] ... Angaben zu Person, Zeit und Ort in Texten verstehen.

> Sie lesen in der Prüfung (Lesen: Teil 2) einen Zeitungstext (ca. 200 Wörter) und 5 Aussagen. Sie kreuzen bei jeder Aussage richtig oder falsch an.

b **Lesen Sie den Text. Sind die Aussagen richtig oder falsch? Kreuzen Sie an.**

1. Christoph Brumme hat schon mehrmals eine Fahrradreise gemacht.

   [Richtig] (X)   [Falsch]

> Christoph Brumme wurde 1962 geboren. Er ist Schriftsteller und lebt in Berlin. Und er fährt Rad, viel und weit. 2007 ist er mit dem Fahrrad von Berlin nach Saratov in Russland gefahren – und zurück. Seit damals hat er diese Tour fünfmal gemacht, das sind 35.000 Kilometer. Wenn er diese Strecke noch einmal fährt, hat er eine Runde um die Welt gemacht.

2. Christoph Brumme möchte einmal um die Welt fahren.

   [Richtig]   [Falsch]

Aussagen und Text

Lesen Sie zuerst die Aussagen und dann den Text. Welche Stelle im Text passt zu welcher Aussage? Suchen und markieren Sie im Text. Entscheiden Sie dann: Ist die Aussage richtig oder falsch?

---

 8 **Die Prüfungsaufgabe**

Teil 2

Lesen Sie den Text und die Aufgaben 1–5. Sind die Aussagen richtig oder falsch? Kreuzen Sie an.

Beispiel

0 **Michael Landhort war in Hamburg gern in der Schule.**

   [Richtig]   [Falsch] (X)

1 **Michael besucht jetzt eine Schule in England.**

   [Richtig]   [Falsch]

2 **In der Schule hat Michael ein Einzelzimmer.**

   [Richtig]   [Falsch]

3 **Die Mitschüler lernen von Michael Deutsch.**

   [Richtig]   [Falsch]

4 **Früher waren 25 Schüler in Michaels Klasse.**

   [Richtig]   [Falsch]

5 **Michael ist froh, dass er diese Schule besuchen kann.**

   [Richtig]   [Falsch]

Glück gehabt

Michael Landhort ist 18 Jahre alt und geht gern in die Schule. „Ich weiß, es ist uncool, wenn man das sagt, aber es ist so. Und zum ersten Mal nach 10 Jahren Schule in Hamburg fühle ich mich hier wirklich gut."

Seine Schule ist eine Privatschule in England, er wohnt auch in der Schule. Vor einem Jahr ist Michael mit seinem Vater nach Manchester gezogen. Am Anfang hat er alles schrecklich gefunden: ein kleines Zimmer zusammen mit einem Mitschüler, die Dusche und das WC auf dem Gang, kein eigenes Bad wie in Hamburg.

Englisch ist inzwischen die zweite Sprache von Michael Lanhort geworden. „Ich träume in der Nacht auf Englisch, und ich habe keine Nachteile mehr gegenüber anderen Schülern." Und wenn die Schüler Projekte machen, dann kann Michael auch deutsche Informationen verwenden. Das ist gut für seine Mitschüler und sein Team.

In seiner Klasse sind nur 12 Schüler, nicht 25 wie zuletzt in Hamburg. „Ich muss hier viel für die Schule arbeiten", sagt er, „aber die Lehrer sind auch wie Kollegen. Wenn ich bei den Prüfungen gute Ergebnisse bekomme, dann ist das auch ein Erfolg für die Lehrer. Das war neu für mich." Aber Michael weiß auch, dass er Glück hat. „Ich kann diese Schule nur besuchen, weil mein Vater viel Geld hat. Dieses Glück haben nicht viele."

Sätze

Hauptsätze

(A1: K1, K3-6, K9, K11)

	Position 2		Satzende
Anna	trinkt	morgens Kaffee.	
Am Montag	ist	Jan um sechs Uhr	aufgestanden.
Woher	kommen	Sie?	
Wann	fängt	das Fest	an?

Aussagesatz (Anna trinkt…, Am Montag ist…)
W-Frage (Woher kommen…, Wann fängt…)

Position 1			Satzende
Gehen	wir	ins Kino?	
Musst	du	heute	arbeiten?
Gehen	Sie	links!	
Komm			mit!

Ja-/Nein-Frage (Gehen wir…, Musst du…)
Imperativsatz (Gehen Sie…, Komm mit!)

Im Aussagesatz und in der W-Frage steht das konjugierte Verb auf Position 2.
In der Ja-/Nein-Frage und im Imperativsatz steht das konjugierte Verb auf Position 1.

Antworten auf Ja-/Nein-Fragen

K1

Schmeckt's dir?	Ja.		Nein.	
Schmeckt's dir **nicht**?	**Doch**.		Nein.	
Isst du **keinen** Salat?				

Hauptsatz und Nebensatz

K1, K3, K4

Hauptsatz	Nebensatz		
	Konnektor		Satzende: Verb
Rick freut sich,	**weil**	Lisa zum Abendessen	**kommt**.
Steven findet es gut,	**dass**	die Kollegen über Internet	**anrufen**.
Ich ärgere mich,	**wenn**	ich zu viel	arbeiten **muss**.
Der Mann fragt,	**wann**	der Zug	abgefahren **ist**.
Marius möchte wissen,	**ob**	Tom zum Essen	**kommt**.

Im Nebensatz steht das Verb am Satzende. Nach dem Konnektor steht meistens das Subjekt.

Nebensatz vor dem Hauptsatz

K4

Nebensatz			Hauptsatz		
Konnektor		Verb		Verb	
Wenn	das Wetter schlecht	**ist**,	(dann)	**bin**	ich unglücklich.
Weil	er viel	arbeiten **muss**,		**ist**	er abends oft müde.

Verb

Reflexive Verben   K1

ich	beeile	**mich**	wir	beeilen	**uns**
du	beeilst	**dich**	ihr	beeilt	**euch**
er/es/sie	beeilt	**sich**	sie/Sie	beeilen	**sich**

Wir treffen **uns** um acht Uhr. – Okay, ich muss bis acht Uhr arbeiten, aber **ich** beeile **mich**.

Weitere reflexive Verben:
sich anziehen, sich ärgern, sich ausruhen, sich beschweren, sich freuen, sich (hin)setzen, sich langweilen, sich treffen, sich umziehen, ...

Modalverben im Präteritum   *Past Tense*   (Modalverben im Präsens A1: K5, K11) K2

	want, be willing **wollen**	*can, be able* **können**	*must, have to* **müssen**	*be permitted, may* **dürfen**	*should, be supposed to, ought to* **sollen**
ich	woll**te**	konn**te**	muss**te**	durf**te**	soll**te**
du	woll**test**	konn**test**	muss**test**	durf**test**	soll**test**
er/es/sie	woll**te**	konn**te**	muss**te**	durf**te**	soll**te**
wir	woll**ten**	konn**ten**	muss**ten**	durf**ten**	soll**ten**
ihr	woll**tet**	konn**tet**	muss**tet**	durf**tet**	soll**tet**
sie/Sie	woll**ten**	konn**ten**	muss**ten**	durf**ten**	soll**ten**

Ich musste in der Schule viel lernen. Der Lehrer konnte nichts mehr an die Tafel schreiben.

Das Verb *werden*   K5

Präsens				**Präteritum**			
ich	werd**e**	wir	werd**en**	ich	wurd**e**	wir	wurd**en**
du	wir**st**	ihr	werd**et**	du	wurd**est**	ihr	wurd**et**
er/es/sie	wird	sie/Sie	werd**en**	er/es/sie	wurd**e**	sie/Sie	wurd**en**
				Perfekt	Er **ist** Fernfahrer **geworden**.		

Verwendung
werden + Substantiv: *werden* + Adjektiv: *werden* + Altersangabe:
Er **wird** <u>Fernfahrer</u>.   Sie **wird** <u>arbeitslos</u>.   Sie **wird** <u>40 (Jahre alt)</u>.

Artikelwörter

Possessivartikel im Nominativ   (A1: K5, K7)

	maskulin	**neutrum**	**feminin**	**Plural**
ich	**mein** Sohn	**mein** Kind	**meine** Tochter	**meine** Eltern
du	**dein** Sohn	**dein** Kind	**deine** Tochter	**deine** Eltern
er	**sein** Sohn	**sein** Kind	**seine** Tochter	**seine** Eltern
es	**sein** Onkel	**sein** Buch	**seine** Tante	**seine** Eltern
sie	**ihr** Sohn	**ihr** Kind	**ihre** Tochter	**ihre** Eltern
wir	**unser** Sohn	**unser** Kind	**unsere** Tochter	**unsere** Eltern
ihr	**euer** Sohn	**euer** Kind	**eure** Tochter	**eure** Eltern
sie	**ihr** Sohn	**ihr** Kind	**ihre** Tochter	**ihre** Eltern
Sie	**Ihr** Sohn	**Ihr** Kind	**Ihre** Tochter	**Ihre** Eltern

Possessivartikel im Nominativ, Akkusativ, Dativ K1

	Nominativ		Akkusativ		Dativ	
maskulin	ein/kein	mein Kurs	einen/keinen	meinen Kurs	einem/keinem	meinem Freund
neutrum	ein/kein	dein Profil	ein/kein	dein Profil	einem/keinem	deinem Hobby
feminin	eine/keine	seine Sprache	eine/keine	seine Sprache	einer/keiner	seiner Küche
Plural	▪/keine	ihre Kollegen	▪/keine	ihre Kollegen	▪/keinen	ihren Büchern

Adjektive

Komparativ und Superlativ K3

	Komparativ	Superlativ
billig	billiger	am billigsten
groß	größer	am größten
teuer	teurer	am teuersten
gut	besser	am besten
gern	lieber	am liebsten
viel	mehr	am meisten

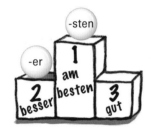

Vergleiche K3

Mein Smartphone ist für mich **wichtiger als** mein Laptop.

Mein Fernseher ist für mich **(genau) so wichtig wie** mein Computer.

Mein Handy ist **nicht so wichtig wie** mein Laptop.

Adjektive nach dem bestimmten Artikel K4

	maskulin	neutrum	feminin	Plural
Nominativ	der alte Hafen	das tolle Konzert	die gute Show	die kleinen Schiffe
Akkusativ	den alten Hafen	das tolle Konzert	die gute Show	die kleinen Schiffe
Dativ	dem alten Hafen	dem tollen Konzert	der guten Show	den kleinen Schiffen

Adjektive nach dem unbestimmten Artikel K5

	maskulin	neutrum	feminin	Plural
Nominativ	der ein alter Hafen	das ein tolles Konzert	die eine gute Show	die kleine Schiffe
Akkusativ	den einen alten Hafen	das ein tolles Konzert	die eine gute Show	die kleine Schiffe
Dativ	dem einem alten Hafen	dem einem tollen Konzert	der einer guten Show	den kleinen Schiffen

***kein/keine* und *mein, dein, ...*:**
Im Singular wie nach dem **unbestimmten** Artikel: Das ist ein/kein/sein schönes Restaurant.
Im Plural wie nach dem **bestimmten** Artikel: Das sind die/keine/unsere günstigen Preise.

Präpositionen

Wechselpräpositionen: *in, an, auf, neben, zwischen, über, unter, vor, hinter* K2

Wohin? ⊃ Präposition + Akkusativ	**Wo? ⊙ Präposition + Dativ**
Wohin hast du meine Tasse gestellt?	**Wo** ist die Tasse?
der Schrank → **In den** Schrank.	der Schrank → **Im** Schrank.
das Regal → **Auf das** Regal.	das Regal → **Auf dem** Regal.
die Tür → **Neben die** Tür.	die Tür → **Neben der** Tür.
die Zeitungen → **Auf die** Zeitungen.	die Zeitungen → **Auf den** Zeitungen.

Positionsverben mit Wechselpräpositionen K2

Wohin?	**Wo?**
stellen: Ich stelle die Tasse **in den** Schrank.	**stehen:** Die Tasse steht **im** Schrank.
legen: Ich habe das Buch **auf den** Tisch gelegt.	**liegen:** Das Buch liegt **auf dem** Tisch.
hängen: Ich habe das Bild **an die** Wand gehängt.	**hängen:** Das Bild hängt **an der** Wand.

Lokale Präpositionen: *an ... vorbei, bis zu, gegenüber, durch, ... entlang, um ... herum* K6

mit Dativ	**mit Akkusativ**
an ... vorbei, bis zu, gegenüber	durch, ... entlang, um ... herum
Lara geht **an der** Brücke **vorbei**.	Dann geht sie **durch den** Park.
Sie geht **bis zum** Fluss.	Nach der Brücke geht sie **den** Fluss **entlang**.
Ihre Freundin wohnt **gegenüber der** Bäckerei	Sie geht noch **um die** Kirche **herum**.

ohne + Akkusativ, *mit* + Dativ K5

Was konnte sie **ohne ihre** Arbeit tun?
Mit ihrer Idee will Christina Geld verdienen.

Sätze verbinden

Nebensatz mit *weil* K1

Hauptsatz			Nebensatz mit *weil*				
Rick	freut	sich,	**weil**	Lisa	zum Abendessen	**kommt.**	Präsens
Er	freut	sich,	**weil**	sein Freund		**anruft.**	trennbares Verb
Er	ärgert	sich,	**weil**	sie	heute nicht	**kommen kann.**	mit Modalverb
Er	ärgert	sich,	**weil**	sie	noch nicht	**gekommen ist.**	Perfekt
			Konnektor			Satzende: Verb	

Nebensatz mit *dass*

K3

Hauptsatz			Nebensatz mit *dass*			
Katrin	ist	froh,	**dass**	Einkaufen im Internet oft billiger	**ist.**	Präsens
Steven	sagt,		**dass**	man gemeinsam an Projekten	arbeiten **kann.**	mit Modalverb
Er	findet	es gut,	**dass**	die Kollegen über das Internet	**anrufen.**	trennbares Verb
Ich	bin	froh,	**dass**	ich bis jetzt immer	aufgepasst **habe.**	Perfekt
			Konnektor		**Satzende: Verb**	

Nebensatz mit *wenn*

K4

Hauptsatz			Nebensatz mit *wenn*			
Ich	bin	unglücklich,	**wenn**	das Wetter immer schlecht	**ist.**	Präsens
Ich	ärgere	mich,	**wenn**	ich zu viel	arbeiten **muss.**	mit Modalverb
Ich	freue	mich,	**wenn**	meine Freundin	**anruft.**	trennbares Verb
			Konnektor		**Satzende: Verb**	

Nebensatz vor Hauptsatz

K4

Nebensatz				Hauptsatz	
Wenn	das Wetter schlecht	**ist,**	(dann)	**bin**	ich unglücklich.
Weil	ich viel	arbeiten **muss,**		**bin**	ich abends müde.
Konnektor		Verb		Verb	

Indirekte Fragesätze: W-Fragen

K6

Direkte Frage	Indirekte Frage			
„**Warum** steht der Zug?"	Der Mann fragt,	**warum**	der Zug	**steht.**
„**Wann** bin ich am Flughafen?"	Die Frau will wissen,	**wann**	sie am Flughafen	**ist.**
		Konnektor (Fragewort)		**Satzende: Verb**

Indirekte Fragesätze: Ja-/Nein-Fragen mit *ob*

K6

Direkte Frage	Indirekte Frage			
„**Ist** das Navi wirklich so einfach?"	Marius möchte wissen,	**ob**	das Navi wirklich so einfach	**ist.**
„**Kommst** du zum Essen?"	Marius fragt Tom,	**ob**	er zum Essen	**kommt.**
		Konnektor		**Satzende: Verb**

Alphabetische Wortliste

So geht's:

Hier finden Sie alle Wörter aus den Kapiteln 1–6 von **Netzwerk** Kursbuch A2 Teil 1.

Die fett markierten Wörter sind besonders wichtig. Sie brauchen sie für den Test „Start Deutsch" 1 und 2.

Diese Wörter müssen Sie also gut lernen. **Aufenthalt**, der, -e 4/12

Ein Strich unter einem Vokal zeigt: Sie müssen den Vokal lang sprechen. A̱bendkurs, der, -e 2/12b

Ein Punkt bedeutet: Der Vokal ist kurz. A̤bfahrt, die, -en AB 5/3a

Ein Strich nach einem Präfix bedeutet: Das Verb ist trennbar. Hinter unregelmäßigen Verben finden Sie auch die 3. Person Singular und das Perfekt. a̤b|fahren (fährt ab, ist abgefahren) 4/11a

Oft gibt es weitere grammatische Angaben in Klammern, z. B. bei reflexiven Verben oder Verben mit einer festen Präposition. ä̤rgern (sich) (über + Akk.) 1/7b

Für manche Wörter gibt es auch Beispiele oder Beispielsätze. a̤lle (Alle paar Wochen waren Ferien, da konnte ich ausschlafen.) 2/3a

Manche Wörter findet man im Arbeitsbuch, sie sind mit „AB" gekennzeichnet: A̤mpel, die, -n AB 6/1

In der Liste stehen keine Personennamen, keine Zahlen, keine Städte und keine grammatischen Formen.

So sieht's aus:

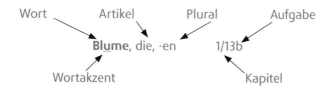

| Wort | Artikel | Plural | Aufgabe |

Blu̱me, die, -en 1/13b

Wortakzent   Kapitel

A̱bendkurs, der, -e   2/12b
A̱bend-Programm, das   5/5a
aber (1) (Hilfst du mir? – Aber gern.)
    1/1a
aber (2) (Da ärgert sich aber jemand!)
    1/7b
a̤b|fahren (fährt ab, ist abgefahren)
    4/11a
A̤bfahrt, die, -en   AB 5/3a
a̤b|fliegen (fliegt ab, ist abgeflogen)
    AB 6/7c
A̤bflug, der, A̤bflüge   AB 6/7c
Abitu̱r, das (Singular)   2/3a
Abitu̱rzeugnis, das, -se   4/1a
a̤b|nehmen (nimmt ab, hat
    abgenommen) (Wir nehmen
    Ihnen Ihre Sorgen ab.)   6/6a
A̤bsage, die, -n   4/3a
A̤bsatz, der, A̤bsätze   4/11b
a̤b|schließen (schließt ab, hat
    abgeschlossen)   AB 2/1a
A̤bschluss, der, A̤bschlüsse   2/12a
A̤bschnitt, der, -e   4/11a
Abte̱il, das, -e   5/3d
a̤b|wechseln (sich) (mit + Dat.)   4/6a
a̤bwechselnd   1/12c
a̤chten (auf + Akk.)   4/7b
A̤chterbahn, die, -en   4/4b

A̤ctionfilm, der, -e   3/11
akkura̱t   4/11a
aktue̱ll   3/12b
a̤lle (Alle paar Wochen waren Ferien, da
    konnte ich ausschlafen.)   2/3a
a̤llgemein   6/10c
A̤ltenpfleger, der, –   AB 2/1a
Alternati̱ve (ohne Artikel, Singular) (Pop,
    Rock und Alternative sind Musikstile.)
    4/6a
A̤ltersangabe, die, -n   5/8a
A̤mpel, die, -n   AB 6/1
a̤n sein   3/7a
an … vorbe̱i   6/8a
a̤n|bieten (bietet an, hat angeboten)
    4/11a
A̤nbieter, der, –   6/10a
Angli̱stik, die (Singular)   2/12b
A̤ngst, die, Ä̤ngste   4/4a
a̤n|klicken   3/1
A̤nkunft, die, A̤nkünfte   4/11a
a̤n|machen   1/7c
A̤nschluss, der, A̤nschlüsse   6/3
ansonsten   6/10a
anti̱k   5/7a
A̤nwalt, der, A̤nwälte   5/1a
A̤pp, die, -s   6/6a
A̤rbeitsalltag, der (Singular)   5/13b

A̤rbeitsleben, das (Singular)   5/13b
arbeitslos   5/7a
A̤rbeitsort, der, -e   5/9a
A̤rbeitsstelle, die, -n   2/12b
A̤rbeitsteilung, die (Singular)   5/13b
A̤rbeitsverhältnis, das, -se   5/13b
ä̤rgerlich   4/9a
ä̤rgern (sich) (über + Akk.)   1/7b
A̤rme, der/die, -n   2/3a
A̤rztkittel, der, –   5/7a
Aspe̱kt, der, -e   5/9a
Aufenthalt, der, -e   4/12
auf|machen   1/13b
auf|passen   3/7a
aufregen (sich) (über + Akk.)   1/7b
aufregend   4/5
auf|stellen (sich)   5/10a
Au̱ge, das, -n   1/13b
Au-pair, das, -s   2/1b
Ausbildung, die, -en   1/5a
A̤usdruck, der, A̤usdrücke   4/3b
A̤uskunft, die, A̤uskünfte   5/4b
A̤usland, das (Singular)   4/11a
A̤usländer, der, –   3/12a
aus|richten   5/12b
aus|ruhen (sich)   AB 1/7a
aus|schalten   5/11b

aus|schlafen (schläft aus, hat aus-
geschlafen)   2/3a
außen   2/10a
außer (1) (+ Dat.) (Niemand ist pünktlich
außer mir.)   4/11a
außer (2) (Frau Sommer ist heute außer
Haus.)   5/12b
außerdem   6/10a
äußern   1/1a
aus|sprechen (spricht aus, hat aus-
gesprochen)   4/3b
Austausch, der (Singular)   5/13b
aus|tauschen (sich) (über + Akk.)   5/13c
Autor, der, -en   5/9b
Babykleidung, die (Singular)   4/1a
backen (bäckt/backt, hat gebacken)
1/2c
Bahn, die, -en   AB 5/3a
Bahncard, die, -s   5/3d
Bahn-Mitarbeiter, der, –   5/4b
Bahnsteig, der, -e   AB 5/3a
Balance, die (Singular)   5/13b
Ball, der, Bälle (Kommst du heute
Abend mit auf den Ball?)   2/10a
Band, die, -s   4/6a
Bankkaufmann, der, -leute   2/12b
bedanken (sich) (bei + Dat.)   4/3b
Bedauern, das (Singular)   4/1a
Bedienung, die (Singular) (Das Programm
hat eine einfache Bedienung.)   6/6a
beeilen (sich)   1/7b
befürchten   6/14b
Begegnung, die, -en   6/13b
begründen   1/10a
begrüßen   1/2c
beide   3/2a
Beitrag, der, Beiträge   2/5a
bekannt   4/6a
benutzen   1/12b
Benzin, das (Singular)   6/7
bereit|legen   5/11b
bereuen   5/7a
Berufsleben, das (Singular)   2/12b
Berufsschule, die, -n   AB 2/1a
Berufswechsel, der, –   5/7a
Berufswunsch, der, -wünsche   5/8c
berühmt   3/10a
Beschreibung, die, -en   3/13a
besitzen (besitzt, hat besessen)   5/3d
bestehen (besteht, hat bestanden)
(Ich habe zum Glück jede Prüfung
bestanden.)   4/4c
bestimmen   5/13b
betreuen   5/13b
Betreuungsplatz, der, -plätze   5/13b
Beutel, der, –   1/13b
Bildschirm, der, -e   AB 3/1a
Bis dann!   6/1a
bitter   AB 1/1b
Blatt, das, Blätter   2/11a
blind   1/12b

Blogeintrag, der, -einträge   4/11a
bloggen   3/1
Blume, die, -n   1/13b
Blumenstrauß, der, -sträuße   4/1a
Bohne, die, -n   1/7c
Bonbon, das, -s   1/13b
böse   4/5
Brautpaar, das, -e   4/3a
bremsen   AB 6/7c
Brücke, die, -n   6/8a
Buchverlag, der, -e   3/9a
Bundesland, das, -länder   2/12a
Carsharing, das (Singular)   6/10a
CD-Laufwerk, das, -e   AB 3/1a
CD-ROM, die, -s   AB 3/1a
Chaos, das (Singular)   6/4b
checken (Ich checke täglich meine
E-Mails.)   3/1
Chemie (ohne Artikel, Singular)
2/12b
Currywurst, die, -würste   1/1a
dabei   5/13b
dabei sein   6/1a
dadurch   5/13b
dafür   4/11a
Dame, die, -n   5/5a
damit   5/13b
danken   4/3d
Dankeskarte, die, -n   4/3a
daran   4/11a
dass   3/7a
Datei, die, -en   3/1
Daten, die (Plural)   6/6c
Dauer, die (Singular)   2/12b
dazu   3/13c
Deal, der, -s   6/6a
decken (Deck doch schon mal den
Tisch.)   1/1a
deutlich   5/11b
Dingsbums, das (Singular)   3/10b
Disco, die, -s   2/11a
doch (Willst du nicht probieren? –
Doch, gern.)   1/1a
domestiziert   4/10b
downloaden   3/1
Drucker, der, –   AB 3/1a
Dunkeldinner, das, –   1/12a
Dunkelheit, die (Singular)   1/12b
Dunkelrestaurant, das, -s   1/12d
Dunkle, das (Singular) (Was ist beim
Essen im Dunkeln schwierig?)
1/12b
Durchsage, die, -n   AB 5/3a
Durchschnitt, der, -e   3/12b
durchsichtig   6/14b
Durchwahl, die, -en   5/12b
Durst, der (Singular)   1/1a
DVD-Laufwerk, das, -e   AB 3/1a
E-Book, das, -s   3/2b
egal   1/1a
eher   3/12b

Eindruck, der, Eindrücke   1/12b
einfach (1) (Das muss einfach sein!)
1/1a
einfach (2) (Einfach oder hin und
zurück?)   5/4b
ein|geben (gibt ein, hat eingegeben)
6/6a
ein|reiben (reibt ein, hat eingerieben)
2/3a
ein|schalten   6/6c
Eintrag, der, Einträge   2/3a
einverstanden   6/8a
ein|zeichnen   6/8c
Elefant, der, -en   6/14b
Elektrokonzern, der, -e   5/7a
Elektrotechnik, die (Singular)   AB 2/1a
Emotion, die, -en   4/4a
emotional   4/9a
empfehlenswert   3/12b
Englischlehrerin, die, -nen   2/3a
Enkel, der, –   3/12a
entlang|gehen (geht entlang, ist
entlanggegangen)   6/8a
entscheiden (sich) (für/gegen + Akk.)
(entscheidet sich, hat sich entschieden)
2/12b
entspannt   5/5a
enttäuscht   2/10a
entweder … oder …   6/10a
Ereignis, das, -se   4/1a
erfinden (erfindet, hat erfunden)   4/5
erfolgreich   5/7a
erfragen   6/1a
erfüllen (sich)   5/7a
Ergebnis, das, -se   1/12e
erinnern (sich) (an + Akk.)   1/13d
Erinnerung, die, -en   2/3a
erkennen (erkennt, hat erkannt)   1/12b
erleben   4/10b
Erlebnis, das, -se   1/12b
Ermäßigung, die, -en   5/5a
erraten (errät, hat erraten)   4/1a
erreichbar   5/13b
erreichen   6/7
Ersatzteil, das, -e   6/14b
erwachsen   2/3a
erwarten   5/5a
etc. (et cetera)   6/10a
etwa   6/11a
ewig   6/4a
existieren   5/13b
extra   1/7c
Fach, das, Fächer   2/12b
Fähigkeit, die, -en   5/13b
Fahrgast, der, -gäste   5/4b
Fahrkartenschalter, der, –   5/4b
Fahrplan, der, -pläne   AB 5/3a
Fahrradreise, die, -n   6/14a
Fall, der, Fälle (In dem Fall ist das Auto
billiger.)   6/10a
fallen (fällt, ist gefallen)   4/8b

familienfreundlich 5/13b
fantastisch 5/5a
Fantasy-Film, der, -e 3/11
Fehler, der, – 2/3a
Ferien, die (Plural) 2/3a
Ferienclub, der, -s 2/12b
Fernfahrer, der, – 5/7a
Fernsehen, das (Singular) 1/7a
Fernsehgerät, das, -e 3/2b
fest 2/9a
Festival, das, -s 4/6a
fett (1) (Die Band finde ich so fett!) 1/1a
fett (2) (Ungesundes Essen macht fett.) AB 1/1b
Feuerwerk, das, -e 4/6b
fit (fitter, am fittesten) 5/5a
flexibel (flexibler, am flexibelsten) 6/10a
Flexibilität, die (Singular) 5/13b
flüstern 3/6c
föhnen 5/1a
folgen (folgt, ist gefolgt) 1/9b
folgend 5/9a
formulieren 1/8
Formulierung, die, -en 3/12c
Forum, das, Foren 2/11a
Foyer, das, -s 6/1a
Freiheit, die, -en 5/7a
freiwillig 5/13b
Freude, die, -n 4/1a
freuen (sich) 1/9a
Freundschaft, die, -en 4/10d
froh 3/7c
fröhlich 4/9a
früher 5/5a
führen (1) (Ich führe dich an der Hand.) 1/12b
führen (2) (Sina führt ein Gespräch mit ihrem Chef.) 5/11a
Führerschein, der, -e 4/1a
Führerscheinprüfung, die, -en 4/1a
Fußballer, der, – 3/9a
Fußballprofi, der, -s 3/9a
Gang, der, Gänge (Gang oder Fenster?) 5/4b
gar 1/12b
Garage, die, -n AB 6/7c
Gastarbeiter, der, – 3/12a
Gastraum, der, -räume 1/12b
geben (1) (gibt, hat gegeben) (Kannst du mir das Brot geben, bitte?) 1/1a
geben (2) (gibt, hat gegeben) (Auf dem Festival geben viele Bands Konzerte.) 4/6a
Gebühr, die, -en 6/10a
Geburt, die, -en 4/1a
Geburtstagsfeier, die, -n 4/3c
Gedanke, der, -n 1/12b
Gefahr, die, -en 3/7a
gefährlich 3/8
Gefühl, das, -e 1/1a

gegen (1) (+ Akk.) (Markus tauscht seinen Kittel gegen einen Overall.) 5/7a
gegen (2) (+ Akk.) (Ich bin gegen Autos, weil …) 6/10c
Gegensatz, der, -sätze 4/10c
Gegenstand, der, -stände 1/13b
gegenüber (+ Dat.) 6/8a
gehen (um + Akk.) (geht, ist gegangen) (In dem Film geht es um eine Familie aus der Türkei.) 3/12a
gemeinsam 1/13a
genau (Ich weiß nicht so genau.) 1/12b
genauso 3/5a
genervt 6/4b
Gepäck, das (Singular) AB 5/3a
Geruch, der, Gerüche 1/12b
Geschäftsreise, die, -n 5/3a
Geschichte, die (Singular) (Die Geschichte von Wiesbaden ist sehr spannend.) 5/5a
Geschirr, das (Singular) AB 1/7a
gespannt 6/7
gestalten 5/7a
gestresst 4/9a
gewöhnen (sich) (an + Akk.) 1/12b
Gleis, das, -e AB 5/3a
Glückwunsch, der, -wünsche 4/3a
Glückwunschkarte, die, -n 4/3a
Grafiker, der, – 5/1a
gratulieren 4/3a
griffbereit 6/14b
großartig 5/5a
Großraumwagen, der, –/-wägen 5/4b
Grund, der, Gründe 4/11a
gründen 5/7a
Grundschule, die, -n 2/12b
Gute, das (Singular) (Kommt heute was Gutes im Fernsehen?) 1/7c
gut|machen 4/8b
Hammer, der, – 5/1a
Handbewegung, die, -en 5/2
handeln (von + Dat.) 4/10d
Handlung, die, -en 3/12c
hängen (1) (hängt, hat/ist gehangen) (Die Uhr hängt an der Wand.) 2/7b
hängen (2) (Tom hängt die Uhr an die Wand.) 2/7b
häufig 3/2c
Hauptdarsteller, der, – 3/12b
Hauptsache, die, -n 2/3a
Hauptschulabschluss, der, -schlüsse 2/12b
Hauptschule, die, -n 2/12a
Hausaufgabe, die, -n 2/4a
Heimat, die (Singular) 3/12a
heiraten 4/3a
hektisch 5/11b
heraus|nehmen (nimmt heraus, hat herausgenommen) 1/13b
herum|gehen (geht herum, ist herumgegangen) 4/10f

herunter|laden (lädt herunter, hat heruntergeladen) 3/1
Herzchirurg, der, -en 5/7a
Herzchirurgie, die (Singular) 5/7a
Herzzentrum, das, -zentren 5/7a
Hi! 6/6a
Hierarchie, die, -n 5/13b
Highlight, das, -s 3/12b
hilfsbereit 4/11a
hin (Ich möchte ein Ticket hin und zurück.) 5/4b
Hinfahrt, die, -en 5/3d
hinten 5/10a
hintereinander 5/10a
hinterlassen (hinterlässt, hat hinterlassen) 5/12b
Hinterrad, das, -räder 6/14b
historisch 4/6a
Hochzeit, die, -en 4/1a
höflich 6/4b
Hotelkaufmann, der, -leute AB 2/1a
hübsch 5/6
Hunger, der (Singular) 1/1a
Industriekauffrau, die, -en 5/7a
Informatik, die (Singular) 2/1b
Information, die, -en (Ich gehe zur Information am Bahnhof.) AB 5/3a
informiert 5/13a
Inhalt, der, -e 4/11a
interessiert (an + Dat.) 4/11a
Internat, das, -e 2/12b
Internetverbindung, die, -en 5/13b
interviewen 1/5c
I-Pod, der, -s 3/2b
irgendwas 2/10a
irgendwie 4/11a
Isomatte, die, -n 6/14b
je 1/5a
jederzeit 6/10a
jeweils 4/11a
Jubiläum, das, Jubiläen 4/1a
Karriere, die, -n 2/12b
Karte (1), die, -n (Ich schreibe eine Karte mit Glückwünschen.) 4/3a
Karte (2), die, -n (Kaufst du die Karten für das Konzert?) 6/1a
Kennzeichen, das, – AB 6/7c
Kfz, das, – AB 6/7c
Kinderabteil, das, -e 6/4a
Kinderfest, das, -e 4/6a
Kinderspielplatz, der, -plätze 6/8a
Kindheit, die (Singular) 4/10d
Klasse, die (Singular) (Möchten Sie in der ersten Klasse fahren?) 5/4b
Klassentreffen, das, – AB 2/1a
Klassenzimmer, das, – 2/13a
Kleinbus, der, -se 3/12a
Klischee, das, -s 3/12b
Kochbuch, das, -bücher 1/2c
Kochkurs, der, -e 1/2a

kommen (1) (kommt, ist gekommen) (Was kommt heute im Fernsehen?) 1/7a
kommen (2) (Ach, komm!) 2/4a
Kommentar, der, -e 2/5b
Komödie, die, -n 3/11
Kompass, der, -e 6/14b
kompliziert 3/9a
Konflikt, der, -e 3/12a
konzentrieren (sich) (auf + Akk.) 5/11b
Konzept, das, -e 6/10a
Kooperation, die, -en 5/13b
korrigieren 2/7a
Kreis, der, -e 4/3d
Kreuzung, die, -en 6/8a
Kriminelle, der/die, -n 3/7a
kühl 6/14b
Kultur, die, -en 5/5a
kümmern (sich) (um + Akk.) 5/13b
Kunst, die, Künste 2/3a
Kunststunde, die, -n 2/3a
Kursergebnis, das, -se 6/12b
kurz (Wir kommen um kurz nach zwölf an.) 5/3d
lächeln 5/11b
Lächeln, das (Singular) 5/11b
lachen 3/11
Lachen, das (Singular) 3/12a
Land, das (Singular) (Elsa hat früher auf dem Land gewohnt.) 2/3a
landen (landet, ist gelandet) AB 6/7c
langweilen (sich) 1/7b
Laptop, der/das, -s 3/4c
Lastwagen, der, –/-wägen 5/7a
Lautsprecher, der, – AB 3/1a
lebenslang 5/13b
legen 2/7b
Lehre, die, -n AB 2/1a
leihen (leiht, hat geliehen) 6/10a
Leiter, der, – (Er ist Leiter einer Firma) 5/7a
Lenkertasche, die, -n 6/14b
Letzte, der/die, -n 3/6c
Licht, das, -er 1/12b
Liebe (1), das (Singular) (Ich wünsche euch alles Liebe zur Hochzeit.) 4/3a
Liebe (2), die (Singular) (Die Liebe ist ein schönes Gefühl.) 4/10d
Lieblingsfach, das, -fächer AB 2/1a
Lieblingsschauspieler, der, – 3/11
Lieblingsstunde, die, -n 2/3a
Lieblingsverein, der, -e 3/9a
Lied, das, -er 4/10a
live 5/5a
Lkw, der, -s 5/10b
locker 6/1a
logisch 3/12c
lohnen (sich) 6/10a
Los, das, -e 4/8b
Lösung, die, -en 3/9b

lustig machen (sich) (über + Akk.) (Der Film macht sich über Vorurteile lustig.) 3/12a
Mama, die, -s 6/4a
manche 3/7a
Mathe (ohne Artikel, Singular) 2/3a
Mathelehrer, der, – 2/3a
Maus, die, Mäuse AB 3/1a
Medaille, die, -n 4/1a
Medien, die (Plural) 3/1a
Medizin, die (Singular) 5/7a
Mehl, das, -e 2/8a
mehrere 5/13b
Meinung, die, -en 3/7a
melancholisch 4/10a
Mensa, die, Mensen 1/1c
Mensch (ohne Artikel, Singular) (Mensch, habe ich einen Hunger!) 1/1a
Menü, das, -s 1/12b
mieten 6/10a
Mikrowelle, die, -n 1/1a
mischen 2/5b
mit|nehmen (nimmt mit, hat mitgenommen) 4/11a
Möbelwerkstatt, die, -stätten 5/7a
möglich 3/7a
möglichst 5/13b
Motor, der, Motoren AB 6/1
Musikereignis, das, -se 5/5a
Musikfan, der, -s 4/6a
Musikfest, das, -e 4/6a
Musikstil, der, -e 4/6a
Muss, das (Singular) 4/6a
nach|denken (über + Akk.) (denkt nach, hat nachgedacht) 6/10a
nachher 1/4b
nämlich 2/12b
Navigationsgerät, das, -e 6/9a
Navigationssystem, das, -e 6/6a
nehmen (nimmt, hat genommen) (Zur Arbeit nehme ich den Bus.) 6/11a
nervig 6/4a
Netz, das (Singular) (Stell nicht zu viele Informationen ins Netz!) 3/7a
neugierig 3/13b
neutral 4/7b
Newcomer, der, – 4/6a
nicht nur 3/7a
niemand 4/11a
nirgends 4/11a
nix (nichts) 1/7a
noch mal 6/8a
Not, die, Nöte 6/14b
Note, die, -n AB 2/1a
Notizbuch, das, -bücher 6/14b
nur noch 1/12b
nutzen 5/13b
nützlich 3/8
ob 6/6a
Oberarzt, der, -ärzte 5/7a

öffentlich (Ich nehme immer die öffentlichen Verkehrsmittel.) 6/12a
Ohr, das, -en 3/6c
Onkel, der, – 1/5a
Online-Netzwerk, das, -e 3/1
Oper, die, -n 2/10a
Operationssaal, der, -säle 5/7a
ordentlich 4/11a
originell 4/10a
Overall, der, -s 5/7a
paar (Alle paar Wochen kann ich ausschlafen.) 2/3a
Panne, die, -n 6/3
Papa, der, -s 6/4b
Papier, das, -e AB 3/1a
Parallele, die, -n 5/7c
Parfüm, das, -e/-s 1/13b
Parkhaus, das, -häuser 6/2
Parkplatz, der, -plätze AB 6/1
passen (Passt schon.) 6/6a
passend 4/11b
Pech, das (Singular) 4/8a
peinlich 4/8b
pendeln (pendelt, ist gependelt) 6/11a
perfekt 2/12b
Pfanne, die, -n 1/2a
Philharmonie, die, -n 6/1a
Physik, die (Singular) 2/12b
Pkw, der, -s AB 6/7c
Platz, der, Plätze (Tom hat den ersten Platz geschafft.) 4/1a
plötzlich 5/7a
poetisch 4/10a
Polizei, die (Singular) AB 6/1
Pop, der (Singular) 4/6a
Porträt, das, -s 3/9a
Position, die, -en 5/13b
posten 3/1
Praktikum, das, Praktika AB 2/1a
privat 3/7a
Privatauto, das, -s 6/10a
Produkt, das, -e 3/9a
Programm, das, -e 4/6a
Projektarbeit, die, -en 5/13b
qualifizieren 5/13b
Radarkamera, die, -s 6/6c
Radio, das/der, -s 3/1
Radiosendung, die, -en 6/13b
Rapper, der, – 3/9a
rauchen 1/12b
rauf 1/1a
realistisch 3/12b
Realschulabschluss, der, -schlüsse 2/12b
Realschule, die, -n 2/12a
rechtzeitig 6/7
Reifen, der, – AB 6/1
Reparatur, die, -en AB 6/7c
Reservierung, die, -en 5/5a
richtig (Nach einem Kaffee bin ich richtig wach.) 6/11a

Richtung, die, -en   6/11a
riechen (riecht, hat gerochen)   1/1a
Riesenspaß, der (Singular)   2/3a
Rindfleisch, das (Singular)   1/7c
Ring, der, -e   4/1a
romantisch   4/10a
Romanze, die, -n   3/11
Rückfahrt, die, -en   5/3d
rückwärts   AB 6/7c
Ruhe, die (Singular)   5/11b
Runde, die, -n   3/6c
salzig   AB 1/1b
Sänger, der, –   5/5a
sauber machen   4/8b
sauer (saurer, am sauersten) (Zitronen schmecken sehr sauer.)   AB 1/1b
Schalter, der, –   AB 5/3a
scharf (schärfer, am schärfsten)   AB 1/1b
Schauspieler, der, –   3/12b
Schere, die, -n   5/1b
Schlange, die, -n   6/11c
schlecht   1/1b
schlimm   4/11a
Schlüsselwort, das, -wörter   5/13c
Schmuckstück, das, -e   5/7a
schön (Mit dem Fahrrad ist Peter ganz schön mobil.)   6/1a
schon lange   2/7a
schon mal   1/1a
schrecklich   2/3a
Schriftsteller, der, –   6/13b
Schritt, der, -e   5/10a
Schulabschluss, der, -schlüsse   2/12b
Schulfreund, der, -e   2/3a
Schulsystem, das, -e   2/12a
Schultag, der, -e   4/1a
Schultüte, die, -n   4/1a
Schultyp, der, -en   2/12a
Schuluniform, die, -en   2/4a
Schulzeit, die (Singular)   2/1a
schwierig   1/12b
Sechzigerjahre, die (Plural)   3/12a
Segelregatta, die, -regatten   4/6a
Segelschiff, das, -e   4/6a
sehbehindert   1/12b
sehen (1) (sieht, hat gesehen) (Mal sehen, was heute im Fernsehen kommt.)   1/7a
sehen (2) (sieht, hat gesehen) (Ich sehe das ganz anders als du.)   2/3a
Sehnsucht, die, -süchte   4/10d
Seite, die, -n (In der linken Seite steckt ein Messer.)   6/14b
selbstständig   5/13b
selten   3/2c
Sendung, die, -en   6/13b
Senior, der, Senioren   5/5a
Servus!   2/10a
setzen (sich)   1/7b

Shooting, das, -s   3/9a
Show, die, -s   5/5a
sicher   3/8
Sicherheit, die, -en   5/13b
Sieb, das, -e   1/2a
simsen   3/1
Sinn, der, -e (Lernen Sie mit allen Sinnen.)   1/13a
Sitzplatz, der, -plätze   6/3
skeptisch   3/12a
skypen   3/1
Smartphone, das, -s   3/2b
sogar   4/11a
Sommerferien, die (Plural)   2/3a
Sorge, die, -n   1/12b
sortieren   2/6a
spannend   3/12b
Spielekonsole, die, -n   3/2b
spielen (1) (Der Film spielt in der Türkei.)   3/12b
spielen (2) (Die Band spielt auf dem Festival.)   4/6a
Sportfan, der, -s   4/6a
Sportfest, das, -e   4/6a
Sportgeschäft, das, -e   2/1b
Sportstunde, die, -n   2/12b
Sprachenschule, die, -n   4/11a
spülen   AB 1/7a
Stadion, das, Stadien   3/9a
Stadtfest, das, -e   4/6a
Stadtteilauto, das, -s   6/10d
starr   5/13b
Station, die, -en   1/13a
statt|finden (findet statt, hat stattgefunden   4/6a
Stau, der, -s   AB 6/1
Steckbrief, der, -e   2/1c
stecken   6/14b
stellen (1) (Luisa stellt viele Fragen.)   1/4c
stellen (2) (Viele Jugendliche stellen sehr private Informationen ins Netz.)   3/7a
Stern, der, -e   3/12b
Stichpunkt, der, -e   6/13e
Stift, der, -e   5/11b
still   3/6c
Stoffbeutel, der, –   1/13b
Storch, der, Störche   4/1a
stören   1/7a
Strecke, die, -n   6/6a
stressfrei   6/6a
Stundenplan, der, -pläne   2/12b
superlecker   1/1b
süß   AB 1/1b
sympathisch   3/12b
Szene, die, -n   3/12b
Tablet, der/das, -s   AB 3/1a
Tango, der, -s   4/11a
Tango-Musik, die (Singular)   4/11a
Tankstelle, die, -n   6/3

Tastatur, die, -en   AB 3/1a
tauschen   4/11b
Teamarbeit, die (Singular)   5/13b
teil|nehmen (nimmt teil, hat teilgenommen)   4/7a
Teilnehmer, der, –   1/2c
Telefongespräch, das, -e   5/11a
Telefonkonferenz, die, -en   5/13b
Telefonzentrale, die, -n   6/10a
Theaterfest, das, -e   4/6a
Theatergruppe, die, -n   2/5a
Thriller, der, –   3/11
Tiertrainer, der, –   5/9a
Tischler, der, –   5/1a
Tischlerei, die, -en   5/7a
Tönung, die, -en   5/1a
Topf, der, Töpfe   1/2a
traditionell   2/10a
Trainingsprogramm, das, -e   2/6a
Transport, der, -e   2/6a
Traum, der, Träume   4/3a
Traumberuf, der, -e   3/9a
traurig   1/9a
Tür, die, -en   2/3a
überall   3/7a
überlegen   6/13b
Überlegung, die, -en   6/7
übermorgen   6/6a
überrascht   2/4a
überreichen   4/3d
um … herum   6/8a
um|drehen (sich)   2/8b
Umfrage, die, -n   3/5a
unangenehm   4/8b
unbedingt   2/10a
ungeduldig   6/4a
Unglück, das (Singular)   4/4a
unglücklich   4/4a
Universitätsspital, das, -spitäler   5/7a
Univiertel, das, –   2/10a
unmodern   5/13b
unmöglich   6/10a
unpraktisch   6/10a
Unsicherheit, die, -en   6/1a
Unsinn, der (Singular)   6/10c
unten   4/4c
Unterricht, der (Singular)   2/3a
unterrichten   4/11a
Unterrichtszeit, die, -en   2/13a
Unterwäsche, die (Singular)   6/14b
usw. (und so weiter)   2/11a
Variante, die, -n   4/10f
verändern   2/8b
Veränderung, die, -en   2/8b
Veranstaltung, die, -en   4/7a
verbinden (mit + Dat.) (verbindet, hat verbunden) (Können Sie mich bitte mit Herrn Winter verbinden?)   5/12b
Verbindung, die, -en   5/13b
verboten   1/12b

verbringen (verbringt, hat verbracht) 3/7a

Verkehr, der (Singular) 4/11a

Verkehrsapp, die, -s 6/6a

Verkehrsmittel, das, – 6/3

verlaufen (verläuft, ist verlaufen) (Das Gespräch verläuft gut.) 5/11b

vermuten 1/10a

Vernetzung, die, -en 5/13b

verrückt 5/6

verschwinden (verschwindet, ist verschwunden) 5/13b

Versicherung, die, -en AB 6/7c

Versöhnung, die, -en 3/12a

verstauen 6/14b

vertreten (vertritt, hat vertreten) 6/10c

verwenden 3/13b

Video, das, -s 3/1

Videokonferenz, die, -en 5/13b

Vokabeltest, der, -s 2/3a

völlig 1/12b

vorbei|gehen (an + Dat.) (geht vorbei, ist vorbeigegangen an) 6/8a

vor|bereiten (1) (Tobi bereitet einen Salat vor.) 1/13a

vor|bereiten (2) (sich) (auf + Akk.) (Bereiten Sie sich auf das Gespräch vor.) 5/11b

Vorbereitung, die, -en 2/12b

vor|haben (hat vor, hat vorgehabt) 6/1a

vor|lesen (liest vor, hat vorgelesen) 6/5

Vorlesung, die, -en AB 2/1a

Vorliebe, die, -n 3/1

vorn 5/10a

Vorraum, der, -räume 1/12b

vorsichtig 3/7a

vorspielen 1/11b

vor|stellen (sich) (Stell dir vor, ich habe heute zweimal den Bus verpasst.) 5/11a

Vorurteil, das, -e 3/12a

wach 6/11a

Wagen, der, –/Wägen AB 6/7c

Waggon, der, -s/-e AB 5/3a

was (etwas) (Es gibt ja gleich was.) 1/1a

Wäsche, die (Singular) 6/14b

Web-Adresse, die, -n 3/6a

Web-Cam, die, -s AB 3/1a

Wegbeschreibung, die, -en 6/8d

weg|fahren (fährt weg, ist weggefahren) 4/4b

weil 1/10a

weinen 3/11

weitere 3/12d

weiter|flüstern 3/6c

weiter|geben (gibt weiter, hat weitergegeben) 2/11a

weiter|gehen (geht weiter, ist weitergegangen) 1/11a

weiter|helfen (hilft weiter, hat weitergeholfen) 6/10a

weiter|machen 1/13b

weiter|schreiben (schreibt weiter, hat weitergeschrieben) 4/10e

weltweit 4/6a

wenigstens 3/12a

wenn 4/4b

Werbung, die, -en 3/9a

werden (wird, wurde, ist geworden) 5/7a

Werkzeug, das, -e 6/14b

WG, die, -s 2/7a

wie (1) (Wie komisch!) 2/5b

wie (2) (Mein Handy ist für mich genauso wichtig wie mein PC.) 3/5a

wild 4/10b

wirklich (Wie war es wirklich?) 1/10b

Wissen, das (Singular) 5/13b

Wohnheim, das, -e 4/11a

Wohnungsschlüssel, der, – 6/8a

Wollmütze, die, -n 6/14b

worüber? 2/1a

wovon? 4/10d

wundern (sich) (über + Akk.) 2/5b

Wunschauto, das, -s 6/10a

wünschen (sich) 3/6b

zählen 1/12b

zahlreich 4/7b

zeichnen 6/8d

Zeichnung, die, -en 1/2a

Zeile, die, -n 4/11b

Zeitungsartikel, der, – 6/9a

Zeugnis, das, -se AB 2/1a

ziemlich 4/11a

Zitronensaft, der, -säfte 1/13b

zu (1) (Augen zu!) 1/13b

zu (2) (Nicht zu glauben!) 2/5b

zu Besuch 2/10a

Zugfahrt, die, -en 6/11a

Zugverbindung, die, -en 5/4a

zu|haben (hat zu, hat zugehabt) 1/13b

zu|kleben 2/3a

Zukunft, die (Singular) 2/2

zuletzt 3/13a

zu|machen 1/13b

zu|nehmen (nimmt zu, hat zugenommen) (Teamarbeit nimmt überall zu.) 5/13b

zurecht|kommen (kommt zurecht, ist zurechtgekommen) 5/13b

zurück|kommen (kommt zurück, ist zurückgekommen) 2/7a

zurück|rufen (ruft zurück, hat zurückgerufen) 5/12b

zurzeit 3/5a

zusammen|arbeiten 3/7a

zusammen|fassen 4/11a

zusammen|wohnen 2/7a

Zuschauer, der, – 3/12a

DVD zu Netzwerk A2 Teil 1

Die Rollen und ihre Darsteller:

Bea Kretschmar:	Lena Kluger
Felix Nowald:	Florian Wolff
Iris Müller:	Ines Hollinger
Ella Berg:	Ella Mahena Rendtorff
Claudia Berg:	Verena Rendtorff
Martin Berg:	Benno Grams
Hanna Wagner:	Angela Kilimann

Weitere Mitwirkende:
Monika Moosreiner, Annalisa Scarpa-Diewald, Helge Sturmfels

Kamera:	Carsten Hammerschmidt
Ton:	Christiane Vogt
Musik:	„Dark Funk Hip Hop", iStockAudio – John Fenton-Stevens
	„Bright Future", iStockAudio – Alexander Maas
	„Good Life", iStockAudio – thefurnaceroom
	„The Next Level", iStockAudio – SweetWaveAudio
Video Kiel:	Landeshauptstadt Kiel / Kieler-Woche-Büro
Postproduktion:	Andreas Scherling
Redaktion:	Angela Kilimann
Regieassistenz:	Elke Burger
Drehbuch und Regie:	Theo Scherling
Produktion:	Bild & Ton, München

Audio-CDs zu Netzwerk A2 Teil 1

CD 1 zum Kursbuch A2 Teil 1 und CD 1 zum Arbeitsbuch A2 Teil 1

Sprecherinnen und Sprecher:
Ulrike Arnold, Christoph D. Brumme, Niklas Graf, Vanessa Jeker, Detlef Kügow, Johanna Liebeneiner, Saskia Mallison, Alina Martius, Dieter Mayr, Charlotte Mörtl, Verena Rendtorff, Jakob Riedl, Helge Sturmfels, Louis F. Thiele, Peter Veit, Benedikt Weber, Sabine Wenkums

Lied zu Kapitel 4, Aufgabe 10:
Text, Musik und Interpretation: Michael Kröger und Goya Royal

Musikproduktion, Aufnahme und Postproduktion:
Heinz Graf, Puchheim

Regie:
Sabine Wenkums

Laufzeiten:
Kursbuch-CD 64 min.
Arbeitsbuch-CD 53 min.

Quellenverzeichnis

Fotos auf den DVD-Seiten, die nicht im Quellenverzeichnis stehen, sind Standfotos aus dem Film.